J'aide mon enfant à s'épanouir

Du même auteur
aux Éditions J'ai lu

J'aide mon enfant à se concentrer, *J'ai lu* 7232
L'enfant de l'autre, *J'ai lu* 7250
Éloge des mères, *J'ai lu* 7283
Confidences de parents, *J'ai lu* 7293
Vive l'éducation !, *J'ai lu* 7716
Les recettes d'Edwige, *J'ai lu* 7888

EDWIGE ANTIER

J'aide mon enfant à s'épanouir

Bien-être

Tu es un petit enfant épanoui, Théo,
mais je voudrais que tu le sois encore plus...
et en tout cas plus que le fils des Bouchard.

Voutch, *Psychologies,*
novembre 2004.

Introduction

— Docteur, il n'a pas besoin d'être le premier de la classe ; il n'est pas obligé de devenir polytechnicien. Tout ce que je veux, c'est qu'il soit un enfant épanoui !

Voilà le projet revendiqué par la plupart des parents aujourd'hui. C'est une évolution sociologique considérable.

Il y a cinquante ans, en effet, votre ambition parentale était d'avoir un enfant instruit, brillant à l'école. C'était l'époque des classements et des prix d'excellence ; et le rêve suprême était de voir défiler son héritier sur les Champs-Élysées, portant bicorne, devant le président de la République. Les filles pouvaient espérer, enfin, devenir professeur, ou médecin. L'idée était que, par l'instruction, on devient évolué. Qui connaissait les belles-lettres, mais surtout les sciences et les mathématiques, en tirait un énorme prestige ; l'esprit éclairé, dans la lignée de Voltaire, rendait service à ses compatriotes en transmettant, en retour, son instruction : le métier de professeur était alors tout à fait honorable.

Mai 1968 est passé par là, avec la mise en avant du développement personnel, chacun devant trouver son bien-être individuel, dans le respect de sa personnalité et de ses talents propres. L'idée a fait son chemin que le premier de la classe rabâchait peut-être ses connaissances au prix de sa créativité, que l'énarque ou l'X n'étaient pas forcément des gens heureux. Dès lors, la recherche du bonheur individuel a poussé les parents à craindre de mettre une pression éducative trop forte sur leur enfant, de peur de nuire à son épanouissement.

D'autant plus que tout enfant venu au monde à l'ère de la contraception et de la fécondation *in vitro* est supposé avoir été désiré… donc avoir toutes les fées penchées sur son berceau pour être épanoui.

Mais qu'est-ce qu'un enfant épanoui ?

Vous apprécierez sans doute le sens propre du mot ; pour le *Petit Larousse*, « épanouir », c'est « faire ouvrir, en parlant des fleurs ». Par exemple, « la chaleur épanouit les roses ».

Au figuré, c'est se détendre, prendre un air de gaieté : visage, cœur qui s'épanouit. « Rendre ouvert, joyeux ; dilaté : la joie épanouit le visage. »

Et même le sens familier, un peu tombé en désuétude, vous conviendra. « Épanouir la rate : donner de la bonne humeur ».

Mais le sens s'élargit, il ne s'agit plus seulement d'humeur : l'épanouissement est un « large développement, la manifestation des richesses, des facultés ». Et le dictionnaire de citer l'épanouissement de l'intelligence.

Épanouir l'intelligence en préservant la joie de vivre, n'est-ce pas le défi ?

L'objectif est d'autant plus complexe qu'un enfant épanoui doit aussi l'être dans le développement de sa sexualité. Je reprends le dictionnaire ; « Épanouissement : ouverture du bouton floral lors de la maturité sexuelle. (Le résultat est une fleur au périanthe plus ou moins ouvert, capable de répandre son pollen ou de recevoir celui des autres fleurs. Certaines fleurs se referment le soir et s'épanouissent de nouveau chaque matin, ou font l'inverse.) »

L'épanouissement de votre enfant va ainsi de l'éclosion du bébé, par le sourire, le regard, le visage ouvert puis le développement de ses facultés intellectuelles, jusqu'à l'éclosion du bien-être érotique, de la capacité à séduire et à être aimé. Élever un enfant en le voulant « épanoui » suppose donc de l'aider à développer toutes ses facultés : plaire, avoir des amis, être socialisé, tout cela compte autant pour les parents d'aujourd'hui qu'avoir de bonnes notes à l'école. Et nous allons voir comment le bébé issu de vos graines devient en effet une fleur qui, pour s'épanouir, doit avoir des racines bien plantées, capables de faire monter la sève jusqu'à cette magnifique couronne qui en fait un enfant épanoui.

Une question corollaire se pose pourtant : dans notre société de communication mais aussi de compétition, de mondialisation, est-ce qu'un enfant épanoui, c'est un enfant béat, heureux au jour le jour, mais qui ne maîtrisera peut-être pas son futur ?

Ainsi se décline, inéluctablement, le dilemme entre réussite et épanouissement ; les rapports entre intelligence et affectivité soulèvent des problèmes qui sont loin d'être simples, malgré votre affirmation de départ (pourvu qu'il soit épanoui...). Les facteurs sont nombreux à intervenir sur la création d'une personnalité, aventure la plus noble de l'histoire humaine. S'intriquent les éléments innés – déterminés par l'hérédité et par la vie intra-utérine –, l'expérience chaque fois unique de la naissance, les interactions parents-enfant, l'histoire de votre propre enfance, les pressions exercées par votre milieu – le soutien de vos parents, les exigences morales de votre environnement, vos valeurs culturelles...

Et, si vous ne me dites plus que vous voulez qu'il réussisse, vous me dites de plus en plus, surtout si ce n'est pas votre premier, que « celui-là », vous voulez le réussir.

Vous venez à peine de le concevoir, et déjà vous savez l'importance des trois premières années. Car s'il faut vingt-cinq ans pour construire un enfant, beaucoup se joue dès le début. Vous le voulez tonique, en bonne santé, pas forcément premier à l'école, mais ayant des facilités pour apprendre, aimant le sport et la lecture, sociable...

Vous êtes déterminé, vous allez le réussir, ce petit bout de chou encore invisible, ou bien protégé dans son porte-bébé, blotti contre vous. N'est-il pas votre prolongement, celui que vous avez désiré, attendu, guetté dans le brouillard de vos échographies ?

Alors qu'est-ce, pour vous parents d'aujourd'hui, que « réussir » votre enfant ?

— Le « réussir », c'est l'aimer. Vous savez l'importance de ce que les pédopsychiatres appellent « la base affective de sécurité », cette enveloppe de vos bras, de votre regard, de votre tendresse, qui donne au bébé l'envie de s'ouvrir vers les autres.

— Le « réussir », c'est veiller sur sa santé. Lui donner de bonnes conditions de sommeil, d'alimentation, le vacciner, le voir rarement malade, solide.

— Le « réussir », c'est l'éveiller. Les yeux écarquillés, en « stratégie de recherche », comme nous disons, nous autres spécialistes. À peine né, il recherche par tous ses sens les informations données par son environnement. Vous savez maintenant qu'il vous entend, qu'il vous voit, qu'il vous reconnaît. Alors vous organisez autour de lui un monde plein de beauté et de curiosités.

— Le « réussir », c'est le faire rire. L'humour est le propre de l'humain et son premier éclat de rire est la plus belle des récompenses à vos grimaces. Reconnaissons que, en la matière, papa est particulièrement doué…

— Le « réussir », c'est le protéger. Vous êtes conscient que l'environnement peut être aujourd'hui agressif pour votre enfant : de la télévision avec ses images violentes, aux autres petits qui poussent ou tapent, vous serez vigilant lorsqu'il faudra choisir pour lui le bon mode de garde, ou préférer les chansons douces aux émissions agressives.

— Le « réussir », c'est le socialiser. Il aura des copains, sera invité à tous les anniversaires et ne se cachera pas derrière vos jambes quand la voisine lui dira bonjour.

— Et puis, reconnaissez-le, vous pensez que vous ferez mieux que vos parents. Vous êtes plus informé, mieux préparé. Votre parole est plus libre, l'adolescence ne vous effraie pas, vous avez fait le tour de leurs erreurs et partez plus lucide. Croyez-vous… car élever un enfant est toujours une aventure unique !

Mais bon… vous vous sentez un peu au-dessus des critiques. Vous ne voulez pas tant réussir vous, à être un parent reconnu pour son œuvre, que le réussir lui, pour lui-même.

Récemment, alors que nous revisitions Françoise Dolto sur France Inter, l'animateur de mon émission *Enfance*, Mathias Deguelle, s'étonnait que les questions posées par les parents dans les années 1970 soient les mêmes qu'aujourd'hui. Déferlante d'interrogations éternelles et universelles, toujours nombreuses et passionnées, qui montrent combien « élever » un enfant est chose complexe. Les statistiques récentes, établies à partir des examens systématiques des enfants de neuf mois, deux ans, quatre ans, dévoilent que, sur quinze mille enfants de la région parisienne, vingt-cinq pour cent ont des troubles psychologiques à quatre ans, alors qu'il y en a moins à deux ans. Cette constatation inquiétante montre que les parents ont, plus que jamais, besoin d'être guidés, même si le projet d'« épanouissement » aujourd'hui affiché se veut respectueux du développement de l'enfant.

Nous allons voir que les enfants s'élèvent comme ils se conçoivent, en trois dimensions : affective, sexuée, rationnelle.

I

L'ENFANT ÉPANOUI, PORTRAIT

Qui est donc cet enfant épanoui tel que vous l'imaginez ?

Épanoui, à vos yeux, le bébé radieux le jour et bon dormeur la nuit ;

Épanoui, pour vous, le petit enfant courant vers ses copains de l'école ;

Épanoui, l'élève moyen-bon – sans être le premier de la classe, trop exposé ;

Épanoui, le sportif vous ramenant sa tenue de foot pleine de boue ou ses chaussons de danse pas trop déformés ;

Épanoui, entre ses nombreuses invitations aux anniversaires ;

Épanoui, dans sa « classe européenne », le fin du fin de notre collège ;

Épanoui, lorsqu'il affirme ses dons artistiques ;

Épanoui, quand il choisira la filière qui lui plaît – mais plutôt les études générales…

Et, lorsqu'il aura vingt-cinq ans, vous pourrez peut-être dire, enfin, « mon enfant est épanoui ». Car, dans notre société, les statistiques le montrent, c'est, en moyenne, entre vingt-trois et vingt-cinq ans que nos enfants quittent le giron familial pour se lancer dans la vie. Alors nous pouvons faire deux portraits contrastés d'enfants pour lesquels la mission des parents est terminée : le « jeune » que vous redoutez, pour l'observer chez vos amis, vos relations ; et le portrait qui illustrera, bien sûr, celui à qui vous aurez consacré vingt-cinq années de votre vie :

— Malgré vos efforts pour le recommander au voisin, au patron, à vos amis, le premier s'essouffle d'un petit boulot provisoire à un autre, a bien du mal à se lever le matin, étire ses soirées entre ses joints et ses amis, n'a pas abandonné ses oripeaux adolescents, n'a pas d'amoureuse stable, s'est inscrit au RMI mais attend toujours votre rallonge de fin de mois et continue de vous porter son linge à laver... La fille demande quelques nuances : malgré sa mèche rouge et ses quatre anneaux dans les oreilles, elle trouve quelques petits boulots d'hôtesse difficilement renouvelés et a un « amoureux », même s'il est difficile de donner un tel statut à ce garçon qui la fait plus pleurer que rire...

— Que sera devenu, par contre, votre enfant épanoui lorsqu'il aura accédé à sa majorité sociale, non pas celle de l'état civil, ses dix-huit ans, ni celle de sa sexualité, ses seize ans, mais celle où il pourra s'assumer socialement ? Deux critères le qualifieront :
- il aimera son travail, qui le rendra autonome,
- et il sera amoureux, avec le projet de fonder un foyer.

Il aura donc un emploi dans lequel il se sentira valorisé, avancera vers la trentaine en vous annonçant son installation avec la personne « de sa vie », et vous vous précipiterez pour cautionner le loyer et dévaliser IKEA ! Bientôt, vous serez grand-parent.

Alors, bien sûr, en chemin, vous aurez traversé brouilles et rébellions, provocations et périodes d'éloignement. Mais il aura les instruments pour sortir du nid : aimer son travail et aimer l'Autre.

— Quand doit-on s'allonger sur votre divan ? demandait l'une de ses célèbres amies à Freud.

— Si vous aimez et travaillez, vous n'en avez pas besoin, répondait le psychanalyste.

Voilà, votre enfant sera épanoui. C'est un enfant élevé avec passion, pas un enfant que vous aurez subi. Il sera l'aboutissement de la plus longue, de la plus merveilleuse aventure humaine.

II

L'AIMER POUR L'ÉPANOUIR

1

Désiré, donc forcément épanoui ?

Au fil de mes années de clinique pédiatrique, je me suis souvent surprise à me dire : « Ce bébé-là, il aura des facilités pour apprendre, une grande joie de vivre... » Non seulement par l'observation du nourrisson, mais aussi par celle du comportement de ses parents pendant la consultation. Une ou deux rencontres suffisent généralement à se faire une bonne idée que ma longue pratique – plus de trente ans aujourd'hui – me permet de confirmer. « En voyant des enfants très jeunes, on ne peut s'empêcher de se laisser aller à des prédictions. Bien souvent, on retrouve à l'adolescence les traces de choix opérés très tôt », dit aussi le psychanalyste suisse, Bertrand Cramer[1].

Un bébé attendu de façon particulière ?

Oui, aujourd'hui, votre enfant est désiré. Tellement que vous êtes de plus en plus nombreuses à recourir à la stimulation de l'ovulation, au don de sperme, à la fécondation *in vitro*, voire à traverser les océans pour trouver un orphelinat, ou même une mère porteuse. Il y a bien celles qui me disent :

— Docteur, je vous préviens, ce bébé, c'est un accident !

Et d'invoquer un accident de préservatif, un oubli de pilule, une contre-indication médicale à la contraception.

— Mais vous l'avez gardé dans votre ventre, ce bébé ?

— Oui, c'est vrai... j'avais peur de l'IVG !

— Mais vous ne craigniez pas tout autant l'accouchement ?

— Si... mais...

Et là, vos tremblements du menton annoncent les larmes d'émotion. Bien sûr, vous le vouliez ce bébé. Vous ne pouviez peut-être pas assumer ce désir, par rapport à son géniteur, par rapport à votre entourage, mais vous reconnaissez petit à petit que oui, vous auriez eu tous les moyens de ne pas le mettre au monde. Le désir d'enfant est le sentiment le plus ambigu et le plus subtil que je connaisse. Et il est important pour cet enfant de savoir qu'une grande part de sa mère était bien heureuse qu'il se soit – apparemment – imposé !

Oui, les bébés d'aujourd'hui sont désirés. Mais l'ayant peu ou prou programmé, vous voilà maintenant avec un véritable contrat sur les épaules : il doit devenir un être épanoui !

À quoi ressemble la mère du futur enfant épanoui ? Pour la pensée commune…

— elle a, d'une façon ou d'une autre, voulu son enfant ;

— elle arbore son ventre rond drapé dans une étole ;

— elle connaît par cœur le rayon puériculture de sa librairie ;

— elle est abonnée à *Parents*, *Famili*, et finalement, achète toujours, en plus, *Enfants-magazine* ;

— elle arpente les allées encombrées et surchauffées du dernier salon « Baby-trucs » ;

— elle râle si le téléphone sonne pendant *Les maternelles* ;

— elle n'est pas forcément mariée, mais elle est heureuse dans son couple ;

— elle a déjà retenu sa place en crèche, ou bien est convaincue d'avoir déniché « la perle des nounous ». Et, en tout cas, il ne sera pas gardé par sa mère, elle ne veut pas s'infantiliser, retomber « sous la coupe »… ;

— et, bien sûr, elle a organisé « la chambre de bébé », du sol antiacariens aux frises romantiques. Dans son sac pour la maternité, il y a aussi le « doudou » le plus doux des doudous, et voilà un bébé bien parti !

Et si ce portrait-robot était simpliste ? Sa perfection m'inquiète même un peu. Je crains de voir dans quelques mois notre bébé devant son biberon à la dose strictement calculée pour prévenir l'obésité, devant attendre parce que « ce n'est pas l'heure ». La mère aura souvent très vite cessé d'allaiter parce qu'elle craignait de n'avoir pas assez de lait, et puis « c'est son choix ». Le bébé a dormi d'emblée dans la belle chambre d'enfant, pour qu'il ne commence pas à prendre « de mauvaises habitudes », mais, bien sûr, en mère attentive, elle a tendu les fils d'un « baby-phone » pour l'entendre. Et la nounou est « formidable », forcément formidable... pour l'instant.

Elle peut avoir un enfant épanoui, bien sûr elle peut. Mais nous verrons qu'il faudra que l'environnement familial, médical, scolaire, parvienne à la rendre réceptive, malgré ses certitudes, aux signaux adressés par son enfant. Sinon, sa personnalité risque de devoir se conformer, dangereusement, au programme imposé...

La future maman de notre enfant épanoui se reconnaît à d'autres critères mais, c'est vrai, elle se reconnaît vite.

Christelle vient consulter le ventre rond. Elle a ce doux sourire un peu ailleurs des femmes emplies du mystère de la création. (Moi, je pense que La Joconde était enceinte, tout simplement...) Elle entre dans mon cabinet comme glissant sur l'air, elle survole d'un coup d'œil le décor, une reproduction au crayon du berceau du roi de Rome, les portraits et les dessins d'enfants, mais c'est l'atmosphère qui la met à l'aise, elle n'en voit pas les détails. Elle a ce regard qu'aura son bébé à la naissance, flou mais existentiel.

Elle pose les mains sur son ventre et s'excuse de venir en visite prénatale sans bébé visible. Mais pas besoin de sortir l'échographie – qu'elle a d'ailleurs oubliée – le bébé est bien là, entre nous, la densité de sa présence est telle que je me surprendrai, lorsque je serai appelée pour sa naissance, à penser : « C'est vrai ! Il n'était pas encore venu au monde, ce petit-là ! »

Christelle est ouverte, elle n'a encore pris de décision sur rien.

— L'allaitement ? J'aimerais, mais j'ai peur...

— Peur de quoi ?

— De ne pas avoir assez de lait comme ma mère ; d'avoir mal comme mon amie Florence ; et puis, je vais devoir travailler...

Elle confie ses doutes, ses craintes, on peut en parler ouvertement. Elle a les inquiétudes légitimes d'une jeune femme à l'aube de sa vie de mère et, derrière le bureau, je lui propose l'expérience d'une pédiatre qui a passé tant de jours et tant de nuits en maternité, puis suivi les enfants, sur trente ans ; qui a écouté autant les regrets que les profondes fiertés de celles qui sentent leur enfant épanoui. Elle est étonnée d'aller dans les recoins intimes de sa réflexion, et elle dépose son fardeau de petites et grandes angoisses, ravie de voir qu'elle peut les exprimer. Parce qu'elle s'y est prêtée… sans barrières.

— Où dormira-t-il ? La chambre est-elle déjà prête ?

— Oui, mais le lit d'enfant me paraît si grand…

— Au début, vous mettrez donc un petit berceau dans votre chambre ?

— Oui, plus il approche, plus je le sens ainsi.

Elle se laisse aller à ses émotions en oubliant ses principes.

— Et quand vous travaillerez, qui le gardera ?

Elle hésite :

— Mes amies me donnent des expériences très partagées. Certaines me disent que la crèche, c'est l'idéal, et que ça fait du bien de reprendre le travail ; mais ma meilleure amie a beaucoup pleuré et essayé de prolonger son congé de maternité. Est-ce qu'on a le droit de s'arrêter plus longtemps quand on allaite ?

Allaitement, sommeil de nuit, mode de garde… elle est si heureuse de pouvoir penser tout haut et de ne pas recevoir de réponses « engagées ». Son entourage lui livre tant d'opinions abruptes : « il faut ; c'est simple ; moi, je… » Elle, elle sait qu'elle attend un bébé unique d'une maman unique. Elle est venue partager cette extraordinaire alchimie qui l'emplit, et non chercher des solutions toutes prêtes. Quand elle sort du cabinet, elle est bien, parce qu'on a parlé d'elle et de lui, le petit « futur ».

Cette mère sera peut-être plus vulnérable que celle dont j'ai d'abord dressé le portrait un peu caricatural ; elle aura besoin d'être protégée pour donner son enveloppe affective au bébé, mais celle-ci sera d'une intense qualité. Savoir repérer les failles et les forces d'une mère permet à l'entourage de la soutenir, d'optimiser ses qualités, d'atténuer ses excès.

L'une des différences fondamentales entre ces deux types de mères, c'est que la première croit que tout sera programmable, elle croit en sa puissance sur les événements, y compris sur le développement de son enfant ; alors que la seconde est dans l'attente, le présent, elle est disponible pour s'adapter à ce nouveau venu tout à fait mystérieux dont elle craint de ne pouvoir se débrouiller seule.

Mais on ne peut pas dire : « Avec tel type de mère, je suis sûre que cet enfant va s'épanouir », car tout dépendra de son environnement.

Il faut déjà voir le futur père.

Un papa « enceint »

Permettez-moi de vous proposer le portrait-robot de ce « nouveau » père idéal que psys, enseignants et magazines appellent de tous leurs vœux pour vous soutenir et partager avec vous la grande aventure. Car cette première décennie 2000 est vraiment celle du rappel au Père.

— Il espère que vous saurez rester femme en même temps que mère.

— Il est venu à la première échographie, c'était vraiment sidérant d'entendre le petit cœur battre : pas de doute, vous attendez bien son bébé !

— Pour la deuxième échographie, il sait que c'est la « morpho », la plus importante, mais il fait entièrement confiance à votre gynéco. Il était occupé ce jour-là. D'ailleurs, tout va bien. Il en était sûr. C'est un compagnon confiant.

— Il vous a accompagnée au salon « Baby-truc », fier d'être à vos côtés pour se faufiler entre les autres parents et jouer des coudes pour obtenir à l'arraché quelques échantillons de petits pots.

— Il revendique le bonheur qu'il aura à donner, lui, un biberon pendant que vous dormirez. Il trouve que c'est très bien que bébé reste dans sa chambre, il ne faut pas confondre couche parentale et lit familial. Il paraît que Aldo Naouri et Marcel Rufo le disent ? « Ah ! Tu vois… »

— Il a testé la MacLaren à trois roues et se voit déjà poussant bébé.

— Il est allé – mais tout seul car il faut vous ménager – au salon de l'auto pour acheter l'indispensable monospace. (Il faut bien, en même temps, se faire plaisir.)

— Il vous fait entièrement confiance sur le choix de la nounou, même s'il est plutôt pour la crèche, qui donnerait toutes ses chances à « futur » d'être bien éveillé.

— Un voyage au soleil est prévu pour le troisième mois après l'accouchement, les billets sont déjà pris, pour vous remettre en forme. Sans bébé. Sa mère pourra le prendre une semaine. On est sûr qu'il sera choyé.

C'est peut-être le Père qui, d'après les psys de référence, saura prendre sa fameuse place. Mais toutes ces certitudes et ces principes me font peur. Quel est ce bébé standard imaginé par les parents ? Un « plus » social, après la télé à écran plat ? Je soupçonne le travail que devra faire l'enfant pour ajuster les réactions de ses parents à sa personnalité, unique. Un travail psychique qui entraînera des efforts d'adaptation du bébé le conduisant soit à soumettre sa propre personnalité à celle de ses parents, soit à forcer ses traits de caractère jusqu'à la dureté pour résister.

Christelle, ma future mère « Joconde », est rejointe par son compagnon, Patrick. Ils tournent les chaises pour se voir, guettant la réaction de l'un lorsque l'autre parle, lui finissant parfois ses phrases, elle bougeant les lèvres lorsqu'il intervient. Je ne suis pas sûre qu'ils aient toujours été dans une telle communion, mais ils vivent cette aventure ensemble, totalement.

Même s'il se fait discret pendant nos échanges, Patrick prend la parole pour conclure que c'est la première fois qu'ils discutent ainsi, qu'il comprend les questions qu'elle se pose. En fin d'entretien, il lui semble qu'il saura mieux l'accompagner quand le bébé pleurera, quand il aura faim, sommeil. Au bureau, ses collègues lui ont dit : « Ne lui donne pas de mauvaises habitudes ! » Maintenant il comprend la vanité de ces conseils. Ce bébé sera son bébé, on s'ajustera.

C'est elle qui me pose la question :

— Que pensez-vous de l'haptonomie ?

Mais c'est lui qui, alors, tire sa chaise vers le bureau.

— *Vous avez commencé ?*
— *Oui.*
— *Vous appréciez les séances ?*
Il répond :
— *C'est étrange. On dit que le bébé est plus épanoui ensuite ?*
— *Je le constate, en effet, lorsque je suis les bébés de l'hap-tonomie…*
Il est ému :
— *Sentir son pied qui vient dans ma main, savoir repérer sa petite tête ronde, son dos à travers le ventre de ma femme, c'est comme s'il venait déjà me dire « papa »…*

Les bébés ainsi préparés sont effectivement nettement plus ouverts, rieurs, heureux dans les mois qui suivent. Je ne sais pas si c'est à cause de l'haptonomie, ou parce que les parents qui choisissent cette préparation à la naissance sont déjà plus impliqués. Mais il est certain que chercher à communiquer par le palper avec le fœtus montre déjà un intérêt pour le découvrir, lui, tel qu'il est ; c'est accepter que parfois il ne réponde pas à vos appels les plus insistants, et que d'autres fois il vous surprenne parce que, voilà, c'est son moment. Apprendre à le respecter, dans sa personnalité, dans ses rythmes déjà repérés *in utero*, commence souvent là.

Par ses réactions anténatales, par sa relative indépendance, le bébé apparaît alors, déjà, non pas comme celui de la mère, virtuel pour le père, mais comme l'enfant des deux, du père et de la mère, et s'inscrit dans leur temps d'aujourd'hui, dépassant l'histoire de chacun.

J'ai ainsi devant moi une cohérence des parents dans l'attention qu'ils donnent à leur futur enfant qui est d'excellent augure pour son épanouissement.

Tous ces portraits, rencontrés au fil des consultations, portent en filigrane la propre enfance de ces futurs parents. Attendant aujourd'hui leur enfant, ils voient toutes les images de leurs premières années réactivées et revisitent leurs relations avec leurs parents d'une façon plus archaïque et moins critique que lors de leur adolescence.

Au-dessus du berceau, les « âmes errantes »

Au Vietnam de mon enfance, j'ai toujours vu les baguettes d'encens brûler dans les petits temples au coin des jardins, emplis d'offrandes aux ancêtres. Car les Asiatiques ont compris le poids des âmes qui errent sur notre tête, dès le berceau. Ce que la psychanalyste Selma Fraiberg appelle « les fantômes dans la nursery ».

À sa naissance, votre enfant semble venu de nulle part, c'est un étranger, un être mystérieux.

Vous le contemplez, il vous regarde étrangement, qui sera-t-il ? Aujourd'hui, les échographies vous ont préparés à sa venue comme personne sexuée – car le plus souvent vous avez voulu savoir. Vous l'avez déjà désigné par son prénom avant de le voir, mais c'est tout de même un séisme que de le découvrir, en vrai. La petite fille que vous imaginiez blonde est toute brune ; vous l'imaginiez forte, elle semble si grêle... Il faut renoncer à l'enfant imaginaire.

Le choc de la naissance réactive dans votre mémoire toutes les scènes de vos premières années. On observe une marée montante de vos émotions enfantines, une levée du refoulement que vous aviez exercé sur ces émotions, une sorte de capacité augmentée de retrouver des souvenirs et des affects qui en période normale semble difficilement concevable.

Car votre imagination est peuplée de fantômes, qui planent sur le berceau de votre bébé. Votre comportement en dépend inconsciemment. La maternité a ouvert ce continent de l'histoire parentale qui vous habite, des valeurs, des douceurs, des comptines partagées avec votre mère mais aussi, inévitablement, des carences affectives dont vous avez pu souffrir, des brutalités, des négligences, des enjeux autrefois portés par vos petites épaules. C'est une véritable filiation psychique qui relie ainsi chacun d'entre nous avec son histoire précoce et même sa préhistoire.

Bien avant sa naissance, et même sa conception, votre enfant est donc potentiellement porteur d'un patrimoine de fantasmes avec lesquels vous allez l'accueillir, interpréter ses traits et son comportement.

« Je ne ferai sûrement pas comme ma mère ! prévient Telma. Elle m'a toujours menée de médecin en médecin, d'orthophoniste en psychologue, j'ai eu l'impression d'avoir mon enfance passée à la loupe. Je ne viendrai pas souvent vous voir, juste pour les vaccins, je lui ficherai la paix. Je vais l'allaiter, je ne prendrai pas de pèse-bébé, nous irons tous les week-ends à la campagne, nous allons vivre naturellement. »

Seulement voilà, le nouveau-né a fait une jaunisse. Ce qui aurait été banal avec une autre mère – surveillance par un petit flash sur le front, mise sous lumière bleue, prises de sang – fut source de négociation quotidienne ; jusqu'à devoir expliquer à Telma que la jaunisse était dangereuse pour le cerveau et pouvait laisser son enfant handicapé – explication que nous ne donnons jamais à une mère qui fait confiance au médecin. Les rapports entre la mère et l'équipe médicale étaient tendus, jusqu'à ce que l'on puisse reparler des rapports de sa propre mère avec la maladie. Telma put alors enfin pleurer, pleurer sur elle-même redevenue la petite fille instrumentalisée par une maman activiste médicale. Elle sembla ensuite apaisée, comprenant que son bébé ne la réparerait pas de sa relation avec sa mère mais l'aiderait à entrer dans une nouvelle histoire, en devenant la maman de cet enfant-là. Des rechutes dépressives reviendront, au premier reflux, à la première otite, jusqu'à ce qu'elle accepte de revoir sa mère et de retracer avec elle sa propre histoire. Il faut s'autoriser une certaine régression au moment de la grossesse pour devenir, ensuite, parent à part entière.

Aujourd'hui où l'on fait tant procès aux parents de leurs attitudes passées, où la parole des adolescents est encouragée à l'encontre de ceux qui les ont guidés, plus ou moins maladroitement mais en général avec un immense dévouement, le fardeau est lourd au moment où le jeune adulte se retrouve face à son nouveau-né. Le nouveau parent porte le poids de tous les reproches faits à ses propres parents. « Et si chacune de mes erreurs se trouvait ainsi comptée, dans le futur, et peut-être déformée, exagérée ? » s'inquiètent le nouveau père, la nouvelle mère, gênés de se sentir déjà jugés. Mon maître Serge Lebovici me disait combien les jeunes mères en rupture avec la leur avaient du mal à élever sereinement leur enfant, et combien elles méritaient notre attention avant même la naissance.

En raison du retentissement sur l'épanouissement de l'enfant des traumatismes vécus par les parents dans leur propre enfance, le travail thérapeutique consiste particulièrement à établir, dans l'interaction avec un patient, des liens entre les événements passés et le vécu actuel du parent avec son enfant. Cette prise de conscience est censée permettre une capacité interactionnelle nouvelle avec l'enfant.

Mais je dois dire combien les thérapies ont des effets différents d'un parent à l'autre, et surtout d'un praticien à l'autre. Si certains en sont « réparés » dans le sens de la tolérance à ce qu'ont été leurs parents, beaucoup s'enferment dans un ressentiment d'autant plus enkysté qu'il se fonde sur des souvenirs verbalisés devenus réalités intangibles au fil des entretiens. Alors la rupture est consommée et pèsera lourd sur l'épanouissement de l'enfant à venir.

Au contraire, un bon thérapeute doit aider les jeunes parents à accepter leurs propres parents, tels qu'ils sont réellement, pour leur « pardonner » les erreurs qu'ils leur attribuent. Ni soumis ni intolérants, les jeunes parents réconciliés avec leur passé peuvent plus facilement transmettre amour et valeurs à leurs enfants. Car l'histoire de leurs parents infiltre toujours leur relation au bébé.

Pendant la grossesse, Laurence avait imaginé une petite fille facile, avec laquelle il serait évident de ne pas reproduire les erreurs que sa mère avait commises avec elle, à ses yeux. La grossesse fut plénitude radieuse. Lorsque, dans la réalité, vint au monde l'enfant désiré, ce prolongement idéalisé ne tarda pas à se présenter comme un petit lot de chair exigeant, une extension d'elle-même mais qui lui semblait ne se développer qu'à ses dépens. Elle se souvint alors des paroles tant reprochées à sa mère : « Tu réclamais tout le temps, j'étais épuisée, un caractère impossible ! » et se rendit compte qu'elle commençait elle aussi à en vouloir au bébé. Il fallut lui apprendre à « faire place » à l'enfant, au réel comme au figuré, et pour cela partager avec elle ce sentiment vertigineux et bien compréhensible de l'angoisse face à ce qui peut être vécu comme un risque de mutilation à divers niveaux. Mutilation de son corps de femme tout d'abord, qui avait subi les transformations de la grossesse et qu'elle cachait désormais avec la certitude de ne jamais redevenir séduisante ; difficultés physiques réelles aussi bien que fantasmées des complications liées à l'accouchement... Alors qu'elle avait pensé se trouver au bout du chemin avec un nouveau-né paisiblement lové contre elle, elle souffrait à présent de ses seins douloureux et des pleurs répétés du petit être étrange. Décrire avec elle ce parcours, dire combien c'est bouleversant pour toute femme, et combien cela avait dû l'être pour sa mère aussi, lui apporta bientôt l'assurance d'avoir grandi, d'être, elle, capable de materner cette petite fille, sortie de son ventre et de ses rêves.

Il faudra que la mère ait ainsi pris du recul sur ce que lui a fait subir – croit-elle – sa propre mère et le considère avec tendresse et détachement, pour qu'elle puisse adopter une démarche libre avec son propre enfant. Tant qu'elle est dans la soumission ou l'opposition (ce qui est une forme de soumission en négatif), elle ne pourra agir que par rapport à ce qu'elle a reçu et sera entravée dans la nécessaire adaptation de son comportement aux signaux envoyés par son bébé, unique. Il faut être libéré par rapport à ses blessures d'enfance pour pouvoir reconnaître les besoins propres à son enfant, reconnaissance indispensable pour l'épanouir.

Alors, accueilli par son père, fêté par ses grands-parents qui s'en disputent les ressemblances, présenté lors des cérémonies du baptême, de la circoncision... l'enfant est rapidement reconnu, inscrit dans la famille. Or chaque famille a sa propre définition de ce que doit être un homme ou une femme, selon les modèles de référence à ses lignées. Pour que l'enfant construise une identité solide, il doit pouvoir s'appuyer sur un modèle porté par les ancêtres et qualifié de manière positive. Les attributs qu'on lui prête lors des rencontres sont autant de programmes pour son avenir : s'il ressemble à l'oncle Louis, grand chirurgien, les ambitions qu'on projette ostensiblement sur lui ne seront pas les mêmes que si c'est tout le portrait de Pierre, l'artiste qui a sombré dans l'alcool... Même si les ressemblances ne sont pas affirmées de façon aussi caricaturale, le bébé sent ce qu'on attend de lui au-dessus du berceau. Les réflexions, alors que j'examine le bébé devant la famille, sont édifiantes :

— Regarde comme il a de bonnes joues, s'exclame la grand-mère qui a vécu l'anorexie.

— Il est costaud ! se réjouit le grand-père, survivant des camps.

— Tu as vu comme il marche déjà ! souligne la mère aux yeux du père qu'elle sait soucieux d'avoir un enfant intelligent. Mais elle le blottit contre elle pour lui donner le sein et se sent réunifiée par l'apaisement glouton ainsi vite trouvé : celui-là, il tiendra toujours à moi...

Ainsi, chacun a un programme pour l'enfant : fort en toutes circonstances, débrouillard ou « bien élevé », brillant, créatif...

Puis, au fur et à mesure que le cercle familial s'élargit, le modèle proposé à l'enfant doit correspondre à un idéal reconnu par la société. Chaque peuple est marqué par des préjugés qui le distinguent de ses voisins. C'est l'exception culturelle qui permet, en s'affirmant de façon spécifique, de souligner la différence qui caractérise toujours « l'étranger ». Ces caractéristiques, même si elles s'estompent un peu lorsque s'établit un contact direct et approfondi avec les autres cercles, s'impriment sur les attitudes, les conduites et une certaine vision de la vie et des relations, typiques d'une culture nationale. Et il existe des particularités régionales, faites d'une série de traits de caractère communs. Ces traits concernent de nombreux aspects de la personnalité. La culture de groupe passe ainsi par l'acceptation des valeurs fondamentales, de ce qui est vénéré comme idéal, méprisé comme inacceptable. Toute une série de comportements est déterminée selon cette référence à un système de valeurs. Or les valeurs transmises par les parents doivent être compatibles avec celles du groupe dont ils sont issus, afin de constituer pour l'enfant un socle de référence. Celui dont les parents sont marginaux par rapport à son milieu social devra composer avec cette différence pour être fier de son identité. Le travail psychique devra se faire entre absorption complète par le groupe, au prix d'un écrasement de sa personnalité, ou différenciation totale par rapport aux autres, au prix d'une inévitable solitude.

Nous verrons comment l'attention et l'amour des parents aideront l'enfant à trouver son propre chemin. Au fur et à mesure qu'il forge son estime de lui-même, il précise les rôles de chacun et devient autonome. Cet envol n'est pas toujours aisé à supporter pour les adultes, mais il est structurant et en définitive un soulagement pour tous. L'enfant sera aidé par des parents qui auront compris les mécanismes de transmission de ces valeurs, par l'effet des identifications croisées et réciproques entre parents et enfants : les parents veulent identifier l'enfant à leurs valeurs les plus précieuses, et l'enfant, lui, fait de son mieux pour faire siennes les préférences parentales. Ainsi l'enfant ne vient-il pas « des fées », mais d'une culture ; il s'inscrit dans la lignée de la tradition familiale. Il nous faut maintenant comprendre comment, à partir de racines puisant au plus profond de ce terreau ancestral, va se construire son caractère.

2

Le « jour zéro » de l'enfant épanoui

« Non, ne le baignez pas ! »

Cette mode de baigner, essuyer, habiller les nouveau-nés, dépliant leurs bras raides pour enfiler ces manches étroites, glissant les pieds minuscules dans les chaussettes puis les chaussons… tourne parfois à l'absurdité.

Il sortait à peine du ventre de sa mère, encore allongée sur une table du bloc opératoire. J'avais écouté son cœur, vérifié son nez, son œsophage, son anus, il commençait à avoir froid malgré la lampe sur la table de réanimation. Pourquoi l'ennuyer avec un bain ? Cette idée que, sortant du liquide amniotique, il aurait besoin de se retrouver dans l'eau ! Mais non, je sentais qu'il voulait garder la protection de son vernix, cet enduit qui vaut toutes les crèmes de beauté ; et rester tranquille dans la même chaleur à 37 °C qui régnait dans le ventre de sa mère.

« Laissez-le dans l'incubateur, je le surveille, on fera le reste après. » Je restais penchée sur l'habitacle, réglant température et humidité. Alors ses lourdes paupières s'ouvrirent, il scruta le reflet de la lumière, le bruit des bulles dans l'éprouvette où passait l'oxygène, avec ce drôle de regard balayant l'espace sans s'accrocher, regard de cosmonaute lunaire des bébés débarqués sur notre planète. Il émettait de petits sons grinçants en tendant ses jambes maigres à la recherche de quelque paroi. Je roulais une couche pour faire appui à ses pieds. Il sembla s'apaiser. Puis, promenant sa main devant son visage, il se griffa légèrement et ferma les yeux. Le voilà calme, rose, chaud. À quoi pouvait-il bien penser ?

Le père arriva. Il s'avança vers l'incubateur et je sortis, pour les laisser seuls, dans ce premier tête-à-tête entre le curieux elfe et le créateur. Dans le couloir je croisai Mamie qui arrivait en grande pompe, les vêtements sous le bras.

— Non, attendez.

Je la retins dans la salle d'attente en bavardant. Quand je retournai pour voir si cette intimité père-fils pouvait être rompue, il pleurait...

Imaginez un bébé, au jour zéro de sa vie extra-utérine : le voilà soudain plongé dans un monde plein de géants qui le scrutent : sous la lumière blanche des scialytiques, il se sent essuyé par un drap rugueux, rarement bien chaud, on lui enfile des sondes et on le note, 10/10, en s'exclamant : « Quel beau bébé ! » Mais lui, qui est-il ? Un petit corps perdu, soudain défait, sans enveloppe... Jusqu'à ce qu'il trouve les bras de sa mère le ramassant de nouveau, sa chaleur, sa voix, son sein, sa mère qui lui parle sous le regard de son père. Vous, d'un large coup d'œil, en quelques secondes, vous aviez englobé la salle, repéré le lit où s'allonger, le gynécologue, le décor. Mais lui, il n'a pas cette précision du regard, ni aucun terme à mettre sur les meubles, les personnes. Il lui faudra des mois et des années pour savoir jauger un univers et ses acteurs, un vrai travail de classification, de mise en mots afin de pouvoir penser le monde qui l'entoure. La perception des objets et des personnes doit être filtrée par la pensée pour prendre sens dans la vie intérieure et les représentations de l'être humain.

Le bébé, à la naissance, est ainsi plongé dans un monde extrêmement compliqué pour lui. Il est confronté à ce qu'on appelle « la situation originaire » dans laquelle – sauf si on lui prête des facultés extraordinaires, et c'est vrai qu'actuellement on attribue beaucoup de compétences au bébé – il doit faire un travail d'organisation, de catégorisation, car il entre dans un monde chaotique pour lui.

Au début, le bébé a besoin d'un autre pour penser ses propres perceptions. Ce médiateur psychique est sa mère. S'il ne l'a pas et si personne ne vient jouer ce rôle de « géant sensoriel », selon le mot de Boris Cyrulnik, comme par exemple le grand-père maternel, le père, une tante, le bébé est perdu, dilué dans le monde environnant.

Le rôle de la mère pour son nouveau-né est donc beaucoup plus important que la simple fonction nourricière, la protection contre les dangers, les soins portés à sa santé et à son développement corporel. Il est totalement dépendant d'elle et, dans notre société si pressée de le rendre autonome, on a du mal à admettre cette dépendance.

Comme son intelligence est sensorielle, c'est dans ce que ressent son corps que s'enracine sa pensée, et dans les mots par lesquels sa mère prête attention à ces sensations : « Oh ! mon petit chou, comme tu as mal au ventre ! » Ainsi j'apprends que je suis un « petit chou » et que ces coliques qui distendent mon intestin me font « mal au ventre ». Je ne suis plus un « rien » qui ne sait pas ce qui lui fait si mal. C'est la relation avec sa mère qui permet au bébé de faire de la pensée avec du sensoriel. Tout est dans l'interaction affective, la relation à l'autre. Cette relation lui permet d'organiser les images mentales qu'il se fait peu à peu du monde extérieur. « Un bébé tout seul, ça n'existe pas », disait Donald W. Winnicott, le célèbre pédiatre et psychanalyste anglais.

Il faudra du temps pour que votre bébé intériorise ses sensations, qu'il apprenne à demander pour chaque besoin votre assistance, à vous sa mère, qui êtes le référent absolu ; du temps pour qu'il acquière la capacité de répondre lui-même à sa faim, à sa toilette, à son bien-être… Non seulement, il ne faut pas qu'il meure de faim, de froid, de maladie ; mais il ne peut pas non plus s'en sortir si l'autre, par ses mots, ne l'aide pas à construire sa pensée. Ainsi, le bébé a besoin d'interrelation pour prendre conscience de soi et de l'autre, porte d'accès à l'autonomie.

Et, chez l'humain, cette interrelation passe par le langage.

Un caractère prédisposé ?

Vous le regardez à travers la vitre de l'incubateur. Vous venez juste d'être roulée sur votre brancard depuis le bloc opératoire et vous le contemplez, là, tout nu, à travers les hublots. Il est un peu violet, recouvert de cet enduit blanc dont vous aviez vaguement lu quelque chose dans le livre qui accompagnait votre grossesse. Mais, maintenant qu'il est là, rien n'est comme prévu. Vous pensiez le mettre tout doucement sur vous, mais vous avez été ouverte par le chirurgien et vous voilà seule en salle de réveil, sans personne pour le poser sur votre poitrine. D'ailleurs, vous n'êtes pas pressée... étonnamment. Il vous paraît si étrange. Quelques petites mèches collées sur le crâne, et des petites cuisses toutes maigres, un peu plissées sur les quadriceps ; il fait de bizarres mouvements d'étirement. C'est normal ? personne à qui le demander. De toute façon, vous préférez être seule, en tête à tête. Il entrouvre un œil. Pourquoi un seul ? Vous voit-il ? On dirait E.T. Il a l'air calme... un observateur... Que sait-il ? Qui sera-t-il ? Est-il déjà programmé ?

Votre pensée est interrompue par le tourbillon des grands-mères :

— C'est tout son père – agréable !

— Non ! il a le haut des Dupont !

— Mais regardez le menton ! C'est de notre côté...

— En tout cas, il est calme, comme sa mère !

Pourtant, tout ne dépend pas de la mère ou du père, l'enfant aussi a un rôle à jouer. Le concept de tempérament s'impose. Le bébé existe en tant que personnalité indépendante, avec des paires de gènes qu'aucun autre être humain ne possède, ce qui en fait déjà un être particulier, unique.

Le nourrisson n'est pas une créature passive que l'on pourrait façonner comme on voudrait. Il est précocement actif dans ses contacts avec l'environnement. S'il arrive avec un tempérament facile, les échanges seront plus rassurants pour les jeunes mères qui ont souvent tendance à se déprécier.

Le nourrisson est soumis à des différences de comportement de la part des adultes, mais il est aussi acteur de ces différences, il les provoque. Vous ne serez pas le même avec chacun de vos enfants. « L'enfant peut venir exercer son pouvoir de faire vibrer ses parents – ou plus précisément l'un d'eux – et de faire resurgir leur insécurité, sans « savoir », lui, ce qu'il provoque sinon une véritable *différence de potentiel* », l'un de ces courants qui fait couler l'émotion du parent vers le bébé.

Le sentiment d'insécurité est particulièrement suscité par les prématurés. Car ils ont, plus que l'enfant né à terme, des difficultés à se protéger des stimulations excessives. Ils réagissent au moindre claquement de la couveuse par des trémulations rapides et un cri strident. Ils peuvent entrer dans des crises de pleurs inconsolables. La capacité à se protéger des informations extérieures trop brutales fait partie de l'équilibre d'un bébé. Le petit trop réactif parce que trop fragile perturbera sa mère par ses cris difficiles à calmer. Il déclenchera alors une perte de confiance en sa compétence maternelle. Cette insécurité réciproque peut gêner considérablement l'épanouissement de l'enfant. À tel point que le pédiatre américain T. Berry Brazelton a basé son « échelle » d'évaluation de l'état neurologique des nouveaunés sur la capacité à se calmer lors de stimuli extérieurs nocifs. Montrer aux parents comment tenir le bébé pour le rassurer, en repliant ses bras et ses jambes et en fléchissant sa tête, est souvent d'une grande aide pour apaiser l'enfant et leur permettre ainsi de se sentir de bons parents.

Le bébé est d'emblée plus ou moins social, doté congénitalement d'instruments d'échange, d'appétence pour la relation, de capacités communicatives, mais aussi de sensations qui peuvent parasiter et entraver ces compétences. Un enfant qui souffre de brûlures digestives, par exemple, peut exploser en pleurs de coliques tels qu'ils déclenchent des mouvements d'irritation chez ses parents. Pour s'en protéger, le nourrisson ferme ses canaux auditifs et visuels, et prend l'habitude de ne compter que sur lui-même. Il peut montrer ensuite des signes de repli sur soi et des difficultés à se concentrer qui gêneront ses capacités de socialisation. Sauf si l'on s'en soucie assez tôt pour aider les parents dans leur relation avec ce bébé-là, un peu particulier, et permettre à l'enfant d'harmoniser sa propre réaction affective à celle de sa mère. Alors s'établit la communication affective indispensable à l'épanouissement.

C'est l'interaction entre les caractéristiques propres au tempérament de l'enfant et les attentes des parents – leur capacité à s'adapter, à suivre ses rythmes – qui va conduire à une interaction adéquate ou, au contraire, à des troubles du comportement. Cerner son identité, la confronter et l'harmoniser avec celle des autres pour construire celui que l'on devient, voilà l'un des défis majeurs de la vie.

L'enfant a un capital de neurones bien à lui. Mais les travaux de Jean-Pierre Changeux[22] ont prouvé que l'homme vient au monde avec un nombre de neurones supérieur à celui dont il a besoin. Les neurones utiles, parce que stimulés par l'environnement, vont rester, se structurer, constituer leurs liaisons, tandis que les autres vont dégénérer. Ainsi, sur dix neurones, huit vont dégénérer, et deux vont persister. Si l'on colle durant les cinq ou six premiers jours de la vie les moustaches d'une souris, les structures du cortex pariétal correspondant à chacun des poils de cette moustache ne se développeront pas ; la moustache ne jouera donc pas son rôle à l'âge adulte. De même, si l'on bande les yeux d'un chaton nouveau-né pendant plusieurs semaines, il devient définitivement aveugle : les zones cérébrales correspondantes ont irrévocablement *involué*. Quel que soit le « terrain » avec lequel naît votre enfant, les informations que vous lui apportez sont très précocement nécessaires à son développement.

Ainsi, c'est sur une base innée que vont agir, par empreintes, les parents. Le résultat de cette interaction permanente sera la personnalité unique de votre enfant. C'est dire l'immense aventure que représente la fonction parentale. De l'ajustement permanent entre le comportement des parents et celui de l'enfant dépend son épanouissement.

À parents épanouis, enfant épanoui ?

Chaque fois que j'observe un enfant en compagnie de ses parents, je suis impressionnée par le caractère prédictif de leur comportement sur la personnalité qui est en train de se construire sous mes yeux. Dès les premiers jours. Remarquez que je ne dis pas « observant le bébé seul », mais observant l'enfant avec ses parents, ou tout du moins au début avec sa mère. Le pronostic ne peut se faire qu'à partir d'interactions mère-enfant. Car c'est l'état subjectif du bébé qui est frappant, un bébé qui n'existe qu'en fonction de significations partagées avec sa mère.

Un matin, le téléphone sonna avant que je puisse faire entrer mon premier patient. Élise Lucet, journaliste de France 3, m'appelait pour savoir si je voulais participer au plateau de Nimbus. Il s'agissait de montrer comment se développait l'intelligence d'un bébé. J'étais d'accord, la question est passionnante et la journaliste rigoureuse.

— Auriez-vous du matériel à apporter ?

— Du matériel ? Je ne peux amener qu'un bébé...

— Vous pourriez ?

C'était pour le samedi, nous étions mercredi... Elle insista :

— Ce serait parfait !

— Je vais voir...

Je me jugeais bien imprudente. Trouver en si peu de temps un bébé avec lequel je pourrais montrer ce qu'est l'intelligence à cet âge, des parents qui seraient d'accord... On verrait.

Quand j'ouvris la porte de mon bureau, j'entendis des roucoulades aux variations impressionnantes et joyeuses venant de la salle d'attente. Je vérifiais le dossier. Il s'agissait d'Anne-Laure, quatre mois, que j'avais déjà vue une fois. J'avais noté – je m'amuse souvent à vérifier mes pronostics – « enfant très éveillée, parents psychologiquement disponibles ». Je fis entrer le petit rossignol accompagné de sa mère. À peine posée sur le lit d'examen, le bébé plantait son regard bleu dans le mien et ne le lâchait plus. À mes premières paroles dirigées vers elle, elle avança ses lèvres, cherchant les vocalises au fond de sa gorge, tandis que ses bras et ses jambes se tendaient, rigides. Tout son tonus se crispait pour ne rendre opérationnels que son larynx et son regard. Chacune de mes expressions déclenchait chez elle une mimique en retour. Nous avons pu ainsi échanger des mélodies qui enchantèrent l'enfant et la mère. Celle-ci assistait à notre séance avec un sourire bienveillant, discrètement disponible pour renforcer les efforts de son enfant, efforts de concentration prolongés, gigantesques pour cet âge. Je tenais mon oiseau.

Je parlai du projet aux parents, qui furent tout à fait partants. Mais Anne-Laure allait-elle développer une telle activité intellectuelle devant les caméras ? J'étais confiante dès lors que je pourrais expliquer à l'équipe les conditions qui permet-

tent à un bébé d'épanouir ses compétences. Et ces conditions, tout parent, tout proche d'un bébé devrait les connaître.

Lorsque le bébé vient au monde, il ne sait pas qui il est ; il ne sait même pas qu'il est un être humain, avec un corps défini. Sa vie psychique consiste à se donner une représentation du monde, des représentations de lui-même, et à comprendre les relations qu'il a avec le monde. Et la première idée du monde, c'est le visage, la voix, l'odeur, les mots de consolation de sa mère qui la lui donnent. Aussi faut-il qu'elle soit d'une grande disponibilité émotionnelle.

Cette disponibilité suppose une présence continue, indispensable à la mise en place de ces premiers liens entre le nourrisson et les personnages significatifs qui prennent soin de lui. C'est à partir de cette continuité dans la relation avec l'« autre » – mère, père, puis toute autre figure régulièrement présente – que se développe la sensation d'exister. Plus jeune est l'enfant, plus son référent doit être régulier et constant. Les psychanalystes d'enfants[33], comme D.W. Winnicott ou Serge Lebovici, ont beaucoup insisté sur « la régularité dans l'organisation dyadique » (c'est-à-dire en duo) pour la constitution d'une personnalité organisée et bien structurée.

En mettant ainsi l'accent sur la continuité et la régularité de la relation entre la mère et son enfant, les travaux des pédopsychiatres posent le problème des ruptures dans la mise en place des liens, ruptures qui peuvent être brusques (et nous allons voir plus loin la question des modes de garde) ; ruptures itératives (posant le grave problème des placements par les organismes sociaux) ; ou plus voilées, plus subtiles, comme le vivent les bébés de mères dépressives (une sur cinq actuellement).

Mais la plupart des mères deviennent dès la naissance extraordinairement réceptives aux signaux que leur envoie leur enfant. Elles sont tellement branchées sur la moindre attente de leur bébé, si hermétiques à tout événement extérieur, qu'elles paraissent en état de « folie normale », qu'on a appelé « préoccupation maternelle primaire ». Je considère que c'est un état magique, car c'est en s'accrochant aux réponses de sa mère que le bébé peut commencer à organiser sa vie psychique.

J'ai en tête une anecdote bien significative : alors qu'une mère rhabillait son poupon bien portant, le téléphone sonna : la sage-femme voulait que je passe en urgence à la maternité pour un nouveau-né qui commençait une gêne respiratoire. Je fis part de l'urgence à la mère devant moi et lui demandai de se dépêcher pour que je puisse partir.

— Mais je n'avais pas terminé ! se défendit-elle en cherchant sa petite liste dans son sac… Quand pourrai-je lui couper les ongles ?

Ainsi en va-t-il de la sensibilité d'une nouvelle maman, totalement enfermée dans une bulle hermétique avec son bébé, priorité des priorités sur terre. Et c'est bien ainsi ! Grâce à cette régression fonctionnelle du psychisme maternel – elle retombe elle-même à l'état bébé – pendant cette courte période, elle réactive ses processus originaires et se branche sur le mode de fonctionnement du bébé pour avoir avec lui une communication plus étroite. La plupart des mères ont une capacité à trouver des ressources affectives qui pouvaient ne pas sembler disponibles alors qu'elles étaient jeunes filles. Combien de grands-mères m'ont dit :

— Jamais je n'aurais cru voir ma fille si maternelle !

Mais pour que la mère puisse se laisser aller à la régression nécessaire à l'épanouissement du bébé, il faut aussi que le père s'y prête…

3

L'aimer sans l'étouffer d'amour...

— Il faut l'hospitaliser...

Je sais que je vais me trouver devant une réaction difficile à gérer : la mère va refuser tout de go : « Il n'en est pas question ! » ; ou se ratatiner, bras et jambes si lourds qu'elle ne pourra rhabiller elle-même son enfant ; ou ne pas entendre, dans une surdité opaque :

— Je peux rentrer chez moi ?

Ou bien elle va battre le rappel de ses ressources rationnelles, demandant les explications médicales, les conditions pratiques... Mais, tandis que je rédige la lettre à mon collègue, je la sais sonnée, le sang acide, l'estomac lourd...

C'est fou ce que, dans notre société soi-disant matérialiste, le cœur d'une mère se brise lorsque, loin du lait à choisir et des caprices à gérer, c'est une maladie lourde qui survient. Vous lui coupez les jambes, elle s'effondre, c'est dans sa chair qu'elle reçoit la nouvelle. Toutes les mères sont ainsi.

Y a-t-il une mère qui n'aime pas son enfant ? Non, bien sûr... Du moins c'est très rare, excuses à mes amis psys qui voient des mères indignes partout. Mais il faut se souvenir qu'ils travaillent dans le pathologique alors que le pédiatre a la chance de voir des parents très généralement « normaux ». Cela permet de garder les pieds sur terre. Oui, l'immense majorité des parents, mères et pères, aiment immensément leurs enfants. Mais chacun à leur façon.

Le mode de vie actuel exacerbe le sentiment de culpabilité maternelle, si néfaste à l'épanouissement de l'enfant. La vie trépidante des jeunes parents les conduit à craindre que l'enfant ne se sente abandonné. Le refrain du « je travaille trop » est souvent exprimé en consultation. « Nous assistons aujourd'hui à une crise d'identité maternelle », rapporte Bertrand Cramer. Tiraillées entre les exigences de leur rôle de mère et leurs obligations professionnelles, de nombreuses femmes viennent me voir pour des symptômes présentés par leur enfant, certes, mais aussi pour évoquer leurs inquiétudes quant à leur compétence de mère. Comme le souligne Sophie de Mijolla-Mellor, chaque situation peut être vécue comme culpabilisante :

« Si la responsabilité éducative de la mère se trouve allégée lorsque l'enfant est confié pendant la journée aux soins d'une nourrice ou d'une crèche, en revanche, la plus grande fréquence des maladies chez les enfants qui se retrouvent ainsi en collectivité va renforcer l'idée que c'est du fait de ce choix que son enfant est si souvent malade.

« Réciproquement, lorsque la mère est seule en tête à tête avec ses enfants, les divers symptômes prennent plus facilement un sens relationnel qui l'implique directement, elle et sa capacité maternelle. »

Mais alors, plutôt que lui répéter que vous l'aimez, que vous êtes obligée, pour l'argent… mieux vaut l'observer : il est joyeux, dort bien, travaille bien, a des amis ? Votre rythme de travail ne lui pose pas de problème. Si, au contraire, il est triste, insomniaque, agité, si ses résultats baissent, alors oui, il vous faudra rentrer plus tôt, trouver la disponibilité pour parler au petit déjeuner, en préparant le repas, pendant le week-end, lui donner vous-même le bain, prendre le temps d'une histoire le soir…

Et, nous le verrons plus loin, la peur de perdre l'amour de l'enfant est encore majorée en cas de divorce. Alors, tout est prêt pour lui donner un pouvoir exorbitant.

La peur de ne pas être une bonne mère

Vous êtes consciente qu'il ne suffit pas de l'aimer pour qu'il s'épanouisse. Certes, l'amour est précieux, il lui donne cette base affective de sécurité indispensable à son épanouissement. Mais votre enfant doit aussi pouvoir s'autoriser à prendre de la distance. Si votre vie affective vous conduit à vivre à travers lui et uniquement à travers lui, comme par procuration, votre enfant se sent en charge de votre bonheur et s'interdit d'exister hors de vos propres attentes. Trop d'amour entrave sa dynamique de vie. C'est l'amour étouffant.

Il est difficile de ne pas se projeter dans nos enfants. Pour établir une frontière entre « toi » et « moi », entre ce que tu veux et ce que je veux, il faut courir le risque d'être momentanément haï. Vous vous souvenez sûrement d'avoir eu des moments de haine envers vos propres parents, et vous craignez d'en vivre de la part de votre enfant. Alors, vous essayez de combler ses désirs, d'être un parent parfait, pour être un parent aimable. Mais votre amour n'est pas fait que d'abnégation, il s'alimente aussi de vos propres craintes. Ainsi, cite Bertrand Cramer, « la mère qui craint le contact corporel se plaindra que son enfant lui rentre dedans. Celle pour qui la séparation est insupportable se plaindra de l'indépendance ou de l'indifférence du bébé. Une mère qui craint ses propres tendances boulimiques redoutera la voracité de son bébé. L'enfant intègre ces problématiques trop lourdes pour vous seule, et les vit comme si elles étaient les siennes ».

Si vous ne pouvez exprimer vos angoisses avec un autre adulte, amie, compagnon, vos parents… et cherchez à les occulter, votre enfant s'en sentira porteur alors même que vous croirez l'épargner par votre silence.

Hector a perdu sa sœur aînée dans des conditions brutales et dramatiques. Sa mère ne s'en remet pas. Alors que les parents me parlent d'Hector, il se cache sous la table, jette le cahier d'école apporté dans la poubelle de mon bureau, déchire rageusement son dessin : Hector ne veut pas exister, ne se donne pas le droit d'exister, lui qui ne parvient pas à consoler sa mère. Il est le porte-parole de sa mère, faisant sienne la lutte contre la disparition insupportable de l'aînée.

Plus vous vous savez habitée d'angoisses, de contentieux familiaux, de colères vitales, et plus vous devrez, pendant votre grossesse et les premières années de votre enfant, éviter de vous replier sur vous-même, de vous isoler. Parler, avec vos proches, avec vos amis, retrouver vos compagnons d'enfance, mais vous en créer d'autres aussi, converser avec votre coiffeur (les premiers « thérapeutes » à former, disait le pédopsychiatre Michel Soulé), et moins vous chargerez votre enfant du devoir d'être votre confident, de vous réparer, au prix de son propre déploiement personnel.

« Tout pour être heureuse »… et pourtant !

Caroline a quatre enfants : deux d'un premier mariage, puis elle a rencontré Marc, eu Christophine et maintenant le petit Xavier. Un beau bébé, qui grossit bien et dort gentiment. Son mari a une situation confortable qui la met à l'abri des soucis matériels, elle part en thalassothérapie dans dix jours. Et pourtant, alors que le bébé s'est endormi contre son sein, elle pleure. Elle en a assez, veut partir au bout du monde avec ses enfants, son mari est d'accord, tout plutôt que de la voir ainsi rouspéter ou pleurer.

Une femme sur cinq, en Occident, est ainsi en proie à la dépression maternelle du post-partum. Pas le gentil « baby-blues », ce déluge hormonal qui entraîne des larmes d'émotion la première semaine ; non, la vraie dépression, lourde, larvée, silencieuse, des trois premiers mois, qui vous met le cœur gros et le regard absent. Or le bébé ne peut pas compenser la diminution de la « capacité de répondre » d'une mère aux prises avec de gros problèmes personnels. Les données d'observation et de recherche les plus récentes quant aux effets d'une dépression maternelle sur le développement infantile montrent qu'on retrouve plus souvent chez ces enfants « des troubles dans la capacité de régler leurs émotions, une diminution de leur capacité à entrer en relation avec des personnes et des objets, une plus grande présence de troubles cognitifs et un attachement insécure à leur mère[4] ». C'est dire comme il faut, pour épanouir le bébé, sensibiliser l'entourage, le compagnon, la famille, à l'importance de l'attention portée à la jeune mère.

Les pères retombent-ils en enfance ?

Bibou – c'est ainsi que l'appellent ses parents – entre le premier dans mon cabinet. Bibou n'a que cinq mois, il ne marche pas encore. Mais il est en ligne de tête, porté face vers moi sur le large torse de son père, qui l'arbore fièrement. La mère suit, avec un sac assorti au porte-bébé. Le nourrisson radieux est posé sur le lit d'examen, le père se recule, laissant la mère commencer le déshabillage. Les chiffons, c'est moins son truc. Classique.

Mais, dans le plaisir de nous faire de larges sourires, le nourrisson lâche sa sucette qui tombe à terre. Le père se précipite et la met dans sa propre bouche. Faute d'eau pour la nettoyer ? Je lui indique le lavabo. Merci. Il rince... Puis la remet dans sa bouche... à lui.

Il y a quinze ans, les pères se cachaient en consultation derrière leur journal, désemparés dans ce lieu médical où ils perdaient leur pouvoir viril de décision. Aujourd'hui, ils retrouvent souvent avec délice leur part d'enfance.

Pour un bébé, « papa est au jeu, et maman est aux affaires », renchérit le pédiatre américain T. Berry Brazelton. Et c'est vrai, lorsqu'un père sait retrouver sa part d'enfance, c'est un bonheur pour le jeune enfant. Mais, aujourd'hui, les hommes s'autorisent parfois cette régression avec une telle nostalgie qu'ils en oublient de jouer le rôle de protection, de support, dont a tant besoin la mère. Ils se positionnent en rivalité avec elle. Ils se prêtent à la confusion des genres, en choisissant les vêtements avec soin, préparant les biberons et arborant la poche ventrale du porte-bébé comme une maman kangourou. Le père « joue à la bagarre » sur le tapis du salon et excuse tous les petits méfaits de l'enfant, qu'il ait dérobé quelques pièces ou cassé votre lampe. Quand l'enfant touche à ses DVD cependant, papa peut s'énerver – là, c'est sérieux... Vous en appelez à l'autorité du père, mais lui préfère le jeu.

Et puis, vous n'êtes jamais d'accord, malgré tous les ouvrages qui vous intiment d'être en cohérence éducative. Mais non, n'espérez pas parler d'une même voix, ce serait factice, le couple est une stéréo. Et le nourrisson est très sensible aux tricheries des parents, qui le mettent plus mal à l'aise que leurs dissensions. Dès les premières années de la vie, il repère vos différences de rythme. Le tonus particulier à son père, ses gestes, ses mots qu'il retrouve, apprécie et, dans certains cas, redoute. Que les pères, malgré leurs rêves de douceur, sachent que « faire la grosse voix » est parfois nécessaire. Et le bébé sait très bien ce qui peut déclencher cette « grosse voix » qui fait peur mais protège.

L'image paternelle doit permettre la distance et l'anticipation d'un temps futur. Le corps de l'enfant n'est pas, avec son père, seulement le lieu de sensations immédiates, mais un objet de savoir, de prévision. Il est envisagé selon une croissance et un développement prévus, et plus ou moins comparé à une norme idéalisée : « Tu seras un sportif, mon fils » ou : « Tu ne t'en laisseras pas conter, mon fils… » sont des phrases que j'entends souvent dans la bouche des pères. Mais pas de ceux qui sucent la « tototte »… Laissez-la tomber, messieurs !

C'est avec la mère que le plaisir s'étaie sur la satisfaction du besoin. Avec vous, le père, il peut en être dissocié. Vous aidez votre enfant à distendre ce lien originel et, oui, vous avez raison de jouer avec lui. En poussant le ballon au plus loin de ses capacités pour l'attraper, en le propulsant dans l'eau à la piscine, vous l'introduisez dans une nouvelle dimension de l'espace qui sera le support de ses relations sociales ultérieures. Contrairement à la mère qui porte l'enfant en elle, puis dans l'enveloppe de ses bras et qui se défusionne très lentement, le désir du père pour l'enfant s'inscrit non dans le couple qu'il peut imaginer former avec lui, mais dans une chaîne de transmission : il était fils d'un père et devient père à son tour. L'enfant, s'il s'agit d'un garçon, est investi comme celui qui prendra sa place dans une fonction, comme il l'a lui-même héritée de son père. Le rôle paternel est nécessairement présenté par la mère. C'est la femme qui annonce à l'homme qu'il va être père et qui lui reconnaît cette paternité, et c'est cette médiation qui se rompt lorsque le père régresse ou rivalise en investissant directement sa place auprès de l'enfant. Cette différenciation sexuelle dans le rapport avec l'enfant ne tient pas seulement à une question de distance vis-à-vis de l'enfant, mais aussi de tonus et de goût du risque, puis de forme d'humour.

Mais, dans le courant unisexe actuel, distinguer le rôle paternel du rôle maternel paraît choquant. Bien sûr, le père et la mère peuvent alternativement occuper ces deux fonctions, il n'en reste pas moins qu'elles sont sexuées et, d'ailleurs, dans la réalité, le plus souvent assumées en fonction du sexe réel du parent considéré. Et nous dirons comment, précocement, ces différences du comportement aident l'enfant à construire sa propre identité sexuée.

Comme on le voit, la fonction paternelle exige, pour être assumée, que l'homme renonce à ce dont il a rêvé tout petit et imaginé la réalisation possible, c'est-à-dire avoir un bébé dont il pourrait accoucher lui-même. Accepter d'être père par l'intermédiaire de la grossesse d'une femme peut sembler une position seconde, par rapport au stade du petit garçon qui me dit, accompagnant sa mère enceinte : « Moi aussi, j'attends un bébé, il bouge. » L'incapacité ou les difficultés à accepter la position paternelle sont souvent liées à l'incapacité d'abandonner cette rivalité inconsciente, le nouveau père régressant comme un frère aîné jaloux du nouveau-né, mais surtout – et comme on le rencontre fréquemment chez les jeunes hommes immatures ! – jaloux d'une intimité entre la mère et le bébé où il craint de ne pas trouver sa place. Pour que le père accepte qu'au début son influence passe par l'intermédiaire de la mère, il faut qu'il ne soit pas inquiet de sa propre virilité.

Le jeune enfant fait bien la différence entre l'homme et la femme – ce qui n'est pas sans poser des questions quant à la revendication d'homoparentalité. « Lorsque sa mère arrive, il revit à travers son corps quelque chose des retrouvailles visuelles avec la mère... Quand c'est le père qui arrive, ça marche aussi, mais pas tout à fait de la même manière, comme si l'enfant pouvait mettre en scène très tôt des différences sexuelles », écrit le pédopsychiatre Bernard Golse[5]. Nous verrons comment le duo parental, entre une mère sécurisée et reconnue dans son rôle et un père mature valorisé par la mère, permet à l'enfant de se placer lui-même comme garçon ou fille.

4

Ce n'est pas en vous brisant le cœur…

— C'est affreux, me dit Marine, mon mari et moi, on se dit qu'on en a pris pour vingt ans…

Ce qui est beau dans cette phrase un peu vertigineuse, c'est le « mon mari et moi ». Car dès lors que couple il y a, couple amoureux, l'enfant n'aura pas de mal à se séparer de sa mère. Il ne faudra pas lui faire violence, que les pères qui veulent passer en force se calment !

Se séparer de son enfant

L'impératif de séparation entre l'enfant et sa mère est aujourd'hui brandi comme un dogme intangible. Bien sûr, le développement impose le passage de la fusion à la séparation. « L'enfant épanoui est celui qui se tourne vers l'autre, qui est prêt à le recevoir », explique le psychiatre Boris Cyrulnik. « C'est à la fois merveilleux, car il découvre un univers extérieur, et dangereux, car il peut se rendre compte que ce monde mental n'est pas conforme au sien. »

Mais cette capacité à recevoir la pensée de l'autre répond à un calendrier de développement qu'on ne saurait accélérer, quelle que soit l'impatience de notre société :

— Pendant ses premiers mois, votre bébé croit qu'il est une partie de vous-même. Lorsque vous vous éloignez, il n'est pas affolé et ne réagit pas. Mais si l'absence est trop prolongée, si aucun substitut maternel puissant et sécurisant ne vous relaie, c'est comme si la lumière qui le fait vivre s'éteignait.

Encore une fois, comme le dit Donald Winnicott, « un bébé tout seul, ça n'existe pas ».

— Puis, vers sept mois, à l'âge où il attrape ses pieds, le bébé constate qu'il est un être fini, séparé de sa mère. C'est alors qu'il commence à réagir vivement et à protester lorsque vous vous éloignez. On parle « d'angoisse de séparation ». Et l'on connaît tous ces nourrissons et jeunes enfants qui hurlent, terrifiés, quand leur mère les dépose à la crèche, à la garderie, à l'école.

Aujourd'hui, l'idée qu'il est positif d'apprendre à se séparer de sa mère conduit à brusquer l'ordre normal du développement. Car cette capacité à se séparer est très progressive :

— Il faut attendre environ dix-huit mois pour que l'enfant réalise que, si sa mère va dans la pièce à côté, elle ne l'abandonne pas,

— et bien souvent l'âge de quatre à cinq ans pour qu'il apprécie de jouer une demi-heure tout seul.

— Il lui faudra des années encore pour cesser de vous appeler lors de ses plongeons dans la piscine : « Maman ! Regarde ! Papa ! » En prépuberté seulement, il n'est plus dans une demande incessante envers l'adulte et supporte de ne pas être regardé tout le temps.

Il faut respecter ce temps, nécessaire à l'enfant pour constituer solidement sa propre identité avant de pouvoir appréhender celle de l'autre. Pour développer encore notre métaphore florale, ce n'est pas en coupant brutalement les racines d'une fleur qu'on lui permet de s'épanouir. « Le rôle des parents est d'ajuster leurs relations affectives de telle sorte que la fleur s'épanouisse sans tout à coup manquer d'eau : il doit pouvoir s'éloigner peu à peu de ses parents sans se sentir perdu[6]. »

Il avait été décidé que Fleur, pour ses deux ans, entrerait dans une petite école privée trois demi-journées par semaine. Enthousiaste tant que ses parents participèrent à sa rentrée, elle s'assombrit dès qu'elle dut rester seule avec les éducatrices et les autres enfants. Pourtant, les effectifs étaient faibles, le cadre apparemment soucieux du bien-être de l'enfant. La petite revint un jour en portant au visage une petite griffure et il s'avéra qu'elle craignait un certain Antoine.

— Il faut qu'elle s'habitue à la collectivité, affirmèrent les maîtresses, et la mère se sentit épinglée comme « surprotectrice ». Amies et éducatrices ne manquaient pas de lui expliquer comme il était nécessaire de « socialiser » la petite.

Elle insista, jusqu'au jour où Fleur ne voulant plus s'habiller le matin par crainte d'aller à l'école, elle décida avec mon assentiment qu'il n'y avait aucun intérêt à soumettre une petite fille de deux ans à de telles angoisses.

Il fallut quelques jours pour que Fleur se rassure totalement : non, décidément, elle n'irait plus dans cette école, elle n'aurait plus à craindre les autres, ce n'était pas elle qui avait tort de trouver le comportement d'Antoine étrange, mais bien lui qui était stupide de griffer. Rassurée sur les valeurs qu'elle commençait à peine à édifier, Fleur put rencontrer les autres enfants au square, mais toujours sous le regard vigilant de sa mère, sa nounou ou sa mamie.

— Cette petite fille est trop couvée, elle aura des problèmes, ne manquèrent pas de commenter les mauvais augures.

L'année suivante, pour ses trois ans, Fleur entra dans une petite maternelle. L'enseignante remarqua vite son éveil, sa réserve plus observatrice que réellement timide, et fit compliment à la maman de l'attention de la petite à ses consignes. Elle allait joyeusement vers la classe chaque matin.

Un jour, elle expliqua à sa mère que deux petits garçons la bousculaient. La mère était désolée qu'elle reprenne ainsi une image négative du sexe opposé. Mais je lui fis préciser que, cette fois, Fleur réclamait l'école même le dimanche… et lui conseillais de dire à la petite : « Les garçons, c'est parfois brusque, mais qu'est-ce que c'est rigolo ! » Les yeux pétillants de la petite fille confirmèrent cette impression joyeuse. Car Fleur était maintenant capable de découvrir l'altérité sans en être traumatisée.

Pourquoi une telle différence avec ce qu'elle avait vécu un an plus tôt ?

— Sa maturité psychique, conforme à ses trois ans, la rendait plus sûre d'elle-même.

— Et l'attitude de la maîtresse, respectueuse de la sensibilité de l'enfant, la confortait dans ce qu'elle ressentait.

La « sociabilisation » ne se décrète pas. Elle doit tenir compte du calendrier de développement de tout enfant. Inutile de brusquer les étapes ; elle suppose un accompagnement chaleureux des adultes, une disponibilité permettant de mettre des mots sur les situations et de donner sens aux conflits éventuels entre les enfants. Et les mères sont en général les plus à même de savoir quand leur enfant est prêt : elles sont « les premiers spécialistes de leur enfant[7] ».

Inutile donc de décréter autoritairement une sociabilisation à l'arraché ! Ce n'est pas en vous brisant le cœur que vous aiderez votre enfant à s'épanouir…

Mais non ! les femmes ne doivent pas retourner à la maison !

Mais alors, vous êtes anticrèche ? m'interpelle-t-on souvent lorsque je demande du temps pour séparer le bébé de sa mère. Et le procès en sorcellerie vient vite : « Vous voulez que les femmes restent à la maison », accusation qui montre combien, en France, la crèche est un droit acquis pour la femme qui travaille, et non un mode d'accueil conçu avant tout pour l'enfant. Oh ! bien sûr, on ajoute très vite que la vie en collectivité va le « sociabiliser » (à trois mois ?), vous aider à ne pas être « fusionnelle » et à vous séparer (nous avons pourtant vu comme cette séparation devait être douce). En réalité, nous arrivons à un moment de notre évolution sociale et de nos connaissances en psychologie où il faut entièrement repenser l'organisation de la crèche, mode d'accueil mais aussi de réassurance pour les bébés et pour leurs parents qui travaillent.

Car sous des prétextes éducatifs qui permettent de mettre en avant le « bien » de l'enfant se sont tapies de cruelles exigences. C'est une véritable mutation sociale qui est demandée à la future mère et cela apparaît d'autant plus clairement de nos jours que cette fonction ne constitue plus un état et une raison d'être dans la collectivité. « À l'émerveillement de l'annonce de la grossesse ne tarde pas à se joindre le souci de trouver une crèche ou une nourrice pour un enfant dont on ne connaît pas encore le visage… », comme le dit Sophie de Mijolla-Mellor.

Et lorsque la mère fait le choix d'élever elle-même ses enfants, c'est une grande solitude et une régression personnelle qu'il lui faut assumer, alors que la vie l'avait souvent préparée à une activité professionnelle, avec ce qu'elle comporte de possibilités identificatoires, d'exercice de la compétition et de relations sociales. La définition archaïque de la femme, chevillée à la maternité, a perdu son attrait. Le statut maternel est l'objet d'une « désidéalisation », selon l'expression de Bertrand Cramer, liée aux mouvements de libération féminine. Alors, c'est vrai, avant d'avoir cet enfant, et pendant la grossesse encore, vous étiez soulagée d'avoir obtenu une place en crèche et vous vous imaginiez bien retrouvant votre travail, votre identité sociale, les relations égalitaires d'adulte à adulte, pour donner à votre enfant, le soir, des instants de vraie disponibilité. Ces moments de concentré affectif ne sont-ils pas à opposer au temps étiré et un peu vide des longues journées passées avec un bébé ?

Prendre un congé parental mal rémunéré vous paraîtra peu valorisant à côté du temps professionnel auquel vous ont préparée des études d'autant plus valorisées que les filles sont aujourd'hui des étudiantes plus brillantes que les garçons. Ce temps de mise en retrait sera d'autant plus mal vécu que votre activité professionnelle sera fortement investie et, surtout, que la compétition non dite avec votre conjoint sera plus vive. Vous trouverez votre compagnon bien injuste de penser que vous « ne faites rien », alors que vous donnez votre attention à votre enfant, et lui envierez sa liberté supposée et les droits liés à l'exercice d'un travail à l'extérieur. Sans compter l'angoisse de perdre toute compétence et de vous couper du tissu relationnel lié au monde du travail. C'est une véritable perte d'identité qui menace, dans notre culture, la mère au foyer. Je suis donc loin de considérer cette situation comme un objectif souhaitable.

Mais, lorsque l'enfant paraît, vous voilà bientôt écartelée entre l'idée que vous vous faisiez de vous-même, une femme active et élégante déposant bébé à la crèche selon un planning bien organisé… et votre cœur en bandoulière saignant de se séparer d'un petit bout de trois mois dont vous avez guetté les premiers babils et dont les regards sont en quête du sens que vous seule vous sentez capable de leur donner. Alors, vous trichez. Le nombre de congés que les gynécologues accordent pour « grossesses pathologiques » donne une idée de la trop grande brièveté ressentie par les mères de ces fatidiques huit semaines chichement accordées par l'État après la première naissance. Bonne fille, la République ferme les yeux sur tous ces certificats abusifs et accepte, sous le couvert de la Sécurité sociale, d'octroyer d'une main ce qu'elle n'ose donner de l'autre.

Il est étrange pour moi de voir qualifier de « réactionnaire » l'idée d'allonger le congé de maternité, en conformité pourtant aux attentes des femmes. D'autant plus étrange que le pays le plus avancé en la matière est tout à fait socialiste : il s'agit de la Suède. Extraordinaire modèle suédois ! Imaginez : quatre cent cinquante jours de congé de mater-paternité. Il faut l'appeler ainsi, car si les pères doivent obligatoirement en prendre au moins deux mois sous peine de voir cette période supprimée, ils peuvent en fait disposer de la moitié de ces quatre cent cinquante jours. Vous recevez alors une somme correspondant à 80 % de votre salaire, sans plafond pour les fonctionnaires ou les employés de certaines entreprises à la politique sociale particulièrement développée comme Ericsson. Aussi les pères sont-ils de plus en plus nombreux à s'occuper de leurs jeunes enfants. L'allaitement au sein étant fortement encouragé, la plupart des mamans suédoises allaitent complètement pendant six mois, puis seulement le matin et le soir jusqu'à un an, et souvent plus tard encore. Le père prend le relais pendant la journée. Rencontrant récemment à Stockholm trois jeunes pères en congé avec leurs enfants âgés de un an à dix-huit mois, je leur demandai leur impression. Tous trois étaient ravis. L'un d'eux me dit cependant :

— Ma femme est restée avec notre fille la première année. Et je trouve qu'actuellement, lorsqu'elle rentre le soir du travail, elle ne se rend pas compte que moi je fais le plus difficile : m'occuper de la petite qui maintenant marche, touche à tout, demande une attention bien plus grande que la première année. Je ne travaille pas, mais je suis beaucoup plus fatigué que ma femme qui travaille.

Vous m'accorderez que c'est le monde à l'envers ! Cette complainte fera du bien à toutes les Françaises qui assument en général 80 % du « job » parental...

— Recommencerez-vous à partager le congé pour votre deuxième enfant ?

— Ah oui ! bien sûr ! répondirent-ils tous les trois.

— Mais cela représente beaucoup de temps d'arrêt pour votre carrière ?

— C'est très bien vu, en Suède, un père qui s'arrête pour ses enfants. Nous sommes considérés comme de meilleurs employés.

Estimer qu'une période avec l'enfant peut n'être qu'une parenthèse non pénalisante dans une carrière, la partager à égalité avec le père, voilà la vraie modernité. Je crois que la société n'est vraiment pas prête, en France, pour une telle révolution. Heureusement, d'autres concepts tout aussi révolutionnaires se présentent...

Concilier travail et bébé : la crèche d'entreprise

Voilà une formule pour laquelle la France s'apprête à donner l'exemple. Lorsque je demandai à un ingénieur suédois ce qu'il penserait d'une crèche d'entreprise chez Ericsson, il me dit :

— Je ne comprends même pas pourquoi ce n'est pas déjà fait !

Et sur ce sujet, le gouvernement français a fait un travail de pionnier en instaurant des dispositions incitatives pour la création de crèches d'entreprise. En quoi cette formule est-elle novatrice ? Imaginez une crèche sise sur votre lieu de travail. Vous êtes séparée moins longtemps de votre bébé puisque vous voilà ensemble pendant votre trajet au bureau. Les lieux vous sont ouverts pour les pauses-café ou déjeuner, ce qui fait que vous pouvez venir donner une tétée, un petit pot, et surtout apporter votre voix et votre sourire, coupant ainsi les huit heures de séparation qui paraissent infinies à un bébé.

— Impossible ! rétorquent certaines équipes d'éducatrices françaises.

Et là, j'ai tout entendu : le personnel de la crèche de l'Hôtel de Ville, auquel je demandais si mon « chargé de mission » pourrait venir voir son enfant à l'heure du déjeuner :

— Vous n'y pensez pas ! ce serait déstabilisant pour les bébés dont les parents ne peuvent le faire...

— C'est intrusif dans la vie des nourrissons, ajoutent certains psychologues de crèche.

— Il faut aider les parents à se séparer de leurs bébés, affirment les directrices.

Il leur faudrait visiter les « day-care-centers » suédois, où les canapés des petits salons tendent les bras aux visiteurs...

— Vous autorisez les visites des parents pendant la journée ? demandai-je à la directrice d'un de ces centres.

— *We hope !* – Nous les espérons !

Elle était surprise par ma question... Comme dans les hôpitaux, la présence des parents dans la vie de leur enfant est là-bas une norme. Chez nous, il faut souvent se battre pour rester avec son bébé.

Revenons à la crèche de votre entreprise : vous êtes retenue pour une réunion tardive ? Un coup de fil à la directrice, et vous pourrez travailler sans angoisse. Vous viendrez sans doute déposer votre bébé plus tard le lendemain... Puisque la crèche est ouverte douze heures par jour.

Car dès lors que votre berceau est lié à votre place dans votre milieu professionnel, proche de vous dans la journée, la crèche d'entreprise se doit d'être totalement ouverte aux parents. Vous viendrez souvent au début, puis, rassurée par la transparence liée à cette ouverture, vous espacerez vos visites, revenant quand vous saurez que bébé traverse une petite crise, maladie, déménagement, changement familial... Cette transparence doit aller jusqu'aux « web-cam », caméras qui permettent à chacun de personnaliser les interactions en fonction du tempérament de chaque enfant, « web-cam » ouvertes en interne pour le personnel, en enregistrement, pour des groupes d'aide à la parentalité, et bientôt, comme dans tant de crèches privées aux États-Unis, ouvertes sur votre ordinateur de bureau. « Intrusion dans le monde de l'enfant ! » protestent les supporters d'une crèche fermée aux parents. J'entends plutôt « intrusion pour un personnel » insuffisamment formé au partenariat avec les parents et aux besoins qu'ont les jeunes enfants de ne sentir aucune frontière étanche, morale comme matérielle, entre les adultes qui s'occupent d'eux. Les personnels formés dans cet état d'esprit trouvent alors une bien plus grande foi dans leur mission.

Si c'est votre compagnon qui travaille à l'extérieur pendant que vous vous occupez du bébé à la maison, vous pouvez le conduire le mercredi à la crèche qui fait jardin d'enfants quand les mères aux « quatre cinquièmes » libèrent les places. Ce jour-là, c'est votre mari qui conduit le bébé à la crèche.

La crèche d'entreprise implique ainsi les pères. En France, il serait temps…

Et puis, parce que la porte est toujours ouverte aux parents, la philosophie est celle du portage et du jeu au niveau de l'enfant. Contrairement au dogme actuellement promu lors des formations du personnel selon lequel l'auxiliaire ne doit pas « s'attacher » aux enfants pour ne pas être en rivalité avec la mère et pour vivre plus facilement le détachement au moment du départ des trois ans, le personnel de la crèche d'entreprise est un prolongement du parent, à bras ouverts. Plus l'enfant aimera son « auxiliaire », plus il sera capable d'amour pour sa mère et son père.

S'ouvrir au monde sans « sucette », est-ce possible ?

Elles occupent des présentoirs entiers en pharmacie, elles sont ornées de ses tendres complices, Mickey, Winnie, Babar et les autres, elles sont bleues ou roses, voire ornées d'un brillant comme autant de bijoux. Mais surtout, de plus en plus transparentes. Histoire de se dire que vous voyez clairement son organe le plus important pour s'ouvrir au monde : sa bouche !

La « sucette » est devenue plus qu'un accessoire, un essentiel, incontournable instrument de la séparation d'avec la mère. D'autant plus indispensable aux yeux des parents – et de nombreux éducateurs de jeunes enfants – qu'aujourd'hui le mot d'autonomie est très en vogue. Les parents, sous la pression sociale – pression des institutions, des pairs, des psys – encouragent l'autonomie de l'enfant jusqu'à la forcer par des séparations couperets. Mais autant l'épanouissement se fera dans une séparation synchronisée avec l'horloge psychique de votre enfant, au moment où il sera prêt pour l'étape proposée, autant la précipitation aboutira à l'effet contraire : l'enfant sera en perpétuelle recherche de la mère dont il a été arraché brutalement. Le pédopsychiatre R. Diatkine a depuis plusieurs décennies déjà averti de l'importance d'avoir sa « ration de mère » pendant ses premières années : « La capacité de l'enfant de symboliser l'absence maternelle dépend d'abord de la quantité de présence maternelle. » Jean-Pierre Visier pose la question : « On pourrait se demander si, chez certains enfants, la perte d'éléments particulièrement importants n'entraîne pas une rupture de continuité telle que l'enfant ne peut plus s'organiser de façon satisfaisante... » Le rétablissement de cette continuité peut se faire en s'appuyant sur l'élément spécifique que constitue la possibilité de retrouver des odeurs. Le « retour » de l'odeur maternelle – s'inscrivant dans la mobilisation de l'entourage – constituerait un élément réorganisateur.

C'est dans l'interaction et dans la recherche constante de rapprochement avec son cercle étroit que l'enfant apprend le monde et peut ensuite s'y lancer. Les figures significatives pour lui forment un cercle concentrique : d'abord la mère dont il est issu ; puis le substitut maternel, nounou, grand-mère, qui forment enveloppe de leurs bras et mettent des mots sur ses sensations les plus primaires, digestives par exemple ; puis le père qui l'ouvre progressivement au monde extérieur ; et seulement plus tard les « étrangers » à ce cercle, éducateurs, enseignants...

Mais alors, quand votre enfant est-il prêt à cette fameuse autonomie qui est censée être indispensable à son épanouissement ?

L'état de sécurité dans lequel se perçoit l'enfant le conduit vers l'âge de un an à l'exploration optimiste du monde extérieur ; alors qu'au contraire l'insécurité lui fait rechercher la présence de sa mère de façon inquiète.

J'ai été frappée par deux spectacles qu'il faut mettre en parallèle :

— rendez-vous dans l'un de ces salons « Baby-trucs », qui proposent aux jeunes parents les gadgets en tout genre qui font la fortune des sociétés de puériculture, du petit pot aux couches, du jouet d'éveil au trotteur. Vous verrez une foule patienter aux guichets, foule de jeunes ou futurs parents, poussant devant eux un bébé, dans la poussette dernier cri, la « sucette » dans la bouche. Voilà donc la cohorte des ventres ronds poussant bébé à distance avec son « bouchon de bébé » ;

— et puis, allez au congrès de la *Leche league*, cette association d'entraide entre femmes qui allaitent leur bébé au sein. Les mêmes enfants, du même âge, sont portés par leurs parents, le visage à hauteur de celui de la mère ou du père ; et aucun n'a de sucette. Ils n'ont pas besoin de cet instrument de la civilisation pour s'épanouir…

Cet outil, la tétine, qui paraît incontournable lorsque l'éducation se fait de façon distale, bébé loin des bras parentaux et nourri à heures imposées, n'a plus de sens lorsque l'on revient à une méthode proximale peau à peau, nourri à la demande.

De même le fameux « doudou ». « Il n'a pas de doudou ? » s'exclament, surprises, les amies des bébés épanouis. « Tout le monde considère qu'il est normal qu'un enfant de trois ans ait encore son "doudou", réfléchit le pédiatre Julien Cohen-Solal. Mais l'évolution des enfants par rapport à la relation avec l'objet transitionnel est très variable. Certains enfants continuent à adorer leur "doudou" à l'âge de cinq ou six ans, tandis que d'autres l'auront abandonné. »

Et les parents qui trouvent charmant cet incontournable objet faisant partie aujourd'hui de nos images de petite enfance se demandent ensuite comment en sevrer l'enfant lorsqu'il entre à l'école. Surtout, ne le forcez pas à s'en séparer brutalement et ne lui imposez pas de discours culpabilisant après être vous-même tombé dans le piège ! Le même piège qui veut que l'on propose la tétine dès les premiers jours pour répondre à un prétendu besoin de succion « non-nutritive ». Alors que, nous l'avons vu, si nous donnons le sein – ou le biberon – à la demande, c'est-à-dire à chaque pleur, sans regarder sa montre, le bébé n'a pas besoin de cette succion à vide. D'ailleurs si les bébés en avaient tous besoin, la mère aurait été dotée de mamelles sèches, ce qui n'est pas le cas. L'instinct fait que le plus reposant est de calmer les pleurs du bébé, et sans l'industrie, il n'y a d'autre moyen que de le mettre au sein, donc de lui donner du lait. C'est parce qu'on prive les bébés de lait et de la tendresse du portage que les sucettes deviennent nécessaires. Une fois cette habitude prise – et elle se prend en quelques semaines – il ne faut pas en imposer le retrait, mais essayer de la limiter en remplaçant l'effet tétine par le bercement, le langage, le jeu et le lait. Le plus souvent on ne la supprimera qu'à l'« âge de raison » ; les huit ans où un appareil à palais dentaire aidera l'enfant, alors volontaire, à se sevrer.

Ainsi voit-on que, lorsqu'on veut rendre trop tôt le bébé « autonome », on le conditionne à une autre dépendance, plus forte et plus prolongée que la dépendance initiale. Aucun enfant ne reste pendu au sein de sa mère à huit ans ; à la tétine qui s'en voulait le substitut, si !

Mais quand sera-t-il prêt à se séparer ? Quand il sera capable d'imaginer sa mère en son absence, de penser consciemment à son retour. Pour pouvoir se construire l'image de la mère absente, il faut déjà qu'elle ait empli le psychisme du bébé de sa présence, pour lui créer le repère « maman ». Autrement dit, précise Bernard Golse, pédopsychiatre, « la capacité de former une toute première représentation mentale au début de la vie de l'enfant dépend énormément de la qualité et de la quantité de la présence de l'adulte aux côtés de l'enfant[8] ».

« Faut-il que je l'habitue à lui manquer ? » se demande la mère au foyer. Or, même lorsque la mère est présente, elle a des moments de rêverie, de conversation avec ses proches, pendant lesquels elle échappe aux attentes du bébé. Elle est là physiquement, mais elle est psychiquement un peu dans sa bulle. Le bébé n'a pas à penser à la mère absente, mais il a besoin de compenser et s'exerce à se consoler en prenant sa main gauche avec la droite, en suçant son poing. Ainsi intègre-t-il doucement la notion d'absence. Il pense le sein ou le biberon de sa mère comme si elle était là à le lui proposer. Mais arrive un moment où cela ne suffit plus. Alors il se met à manifester. Elle répond. Son absence n'a pas eu le temps de générer l'angoisse. C'est la progressivité de cette accoutumance qui fait le bébé épanoui.

Quand sera-t-il vraiment autonome ? Il vivra toute une série d'étapes vers l'autonomie, avec selon l'âge de nouvelles marches à franchir. Mais cela commence dès la naissance. Après avoir été nourri en continu par le cordon, le nouveau-né vit la première séparation, séparation de son enveloppe utérine et de son placenta nourricier. Puis il devra se séparer du sein, de sa mère, de ses matières fécales, de ses camarades d'école, de ses parents, de certains amours de jeunesse, de ses enfants, de sa compagne… et ainsi jusqu'à la mort, il faut traverser des expériences de séparation. L'enfant épanoui est celui qui a été suffisamment sécurisé petit pour toujours porter en lui ce socle d'amour reçu qui l'aide à se sentir solide, même séparé.

Or tout, dans notre culture, va malheureusement dans le sens d'une autonomie imposée trop tôt et finalement très fragile.

Et si la jalousie était facteur d'épanouissement ?

— *Je ne sais pas comment le lui dire, nous attendons un deuxième bébé…*

Comme vous avez l'air préoccupée lorsque vous m'annoncez la nouvelle ! Ce qui faisait grande joie pour le premier apparaît presque comme une maladie pour le second, en tout cas un événement problématique. Et vous vous en exonérez :

— *Vous savez, nous lui avons demandé, il voulait très fort un bébé.*

Comme si la procréation relevait de son pouvoir d'enfant…

— *Mais il va être déçu, poursuivez-vous, c'est une petite fille. Il ne pourra pas jouer avec elle comme si c'était un garçon.*

Vous avez tant entendu dire de cette « jalousie » inéluctable qui fera souffrir votre aîné… Vous craignez régression, bagarres et cruauté ; vous avez aussi en tête le spectacle des familles déchirées lors des héritages et vous savez bien comme les rivalités sont intenses entre frères et sœurs.

Dites-vous pourtant que c'est le plus grand atout pour l'épanouissement d'un enfant que lui donner une fratrie élargie. Il est en effet très difficile d'être enfant unique. Non que l'on risque de devenir égoïste, votre première crainte ; ou sauvage et asocial. La multiplication des amis, des activités collectives auxquelles vous vous éreintez, ne change rien à la problématique de l'enfant unique : il a un contrat avec vous, il n'a guère le droit de défaillir sur le plan de votre projet parental. Il porte sur ses seules épaules vos espoirs de réussite, que votre rêve soit de le voir artiste, communiquant, débrouillard, soucieux des autres – et en particulier de ses parents – ou brillant à l'école. Chaque fâcherie, chaque mauvaise note, une adolescence rebelle, prennent des tournures beaucoup plus douloureuses que s'il a des frères et sœurs pour occuper vos pensées, lui permettant quelques respirations. Aucun ami, aucun cousin, ne peut combler vos vides à sa place. Voilà pourquoi une fratrie, par la répartition des émotions qu'elle entraîne, est la meilleure nouvelle que vous puissiez lui apprendre.

Plus épanoui avec un deuxième enfant, c'est donc probable, mais cet épanouissement passera par des phases différentes selon la différence d'âge entre votre aîné et le nouveau venu.

Si vous êtes enceinte dès votre retour de couches, ne croyez pas que, ses premiers pas à peine amorcés, votre aîné ne se rendra pas compte qu'il y a un être vivant du même monde que lui dans la maison. Mais votre enfant sera, comme les nourrissons de crèche, ou de garde partagée, vite habitué à la présence de l'autre comme un bruit de fond, une réalité intangible. La notion d'échange ne commencera que pendant la troisième année, or le petit sera déjà intégré à l'évidence de l'autre. C'est plutôt dans la somme d'attentions à lui porter que vous devrez être vigilante, car il prendra l'habitude que vous soyez excédée et peu sollicitable, ce qui retentirait sur son développement, en particulier linguistique, à la manière des jumeaux. Dans cette configuration, il n'y a pas tant risque de jalousie que de manque d'attentions.

Si le nouveau bébé s'impose à votre aîné dans sa deuxième ou troisième année, intervalle le plus fréquent entre deux naissances, votre enfant sera interpellé vers son propre état premier. Celui de bébé. S'il régresse, ce n'est pas tant par jalousie, comme vous le croyez souvent, mais plutôt parce qu'il se pense renaître avec le bébé. Si vous savez rouvrir l'album de sa naissance, rappeler où l'aîné est né, comment il a été nourri… l'intrusion du frère ou de la sœur aura alors un effet organisateur, en facilitant la différenciation « toi-moi ». Si, par contre, vous vous extasiez devant ce bébé, qui ne sait ni parler, ni marcher, ni jouer… l'aîné ne comprendra pas et pourra, par exemple, se remettre à être sale alors qu'il était propre depuis deux mois, à réclamer un biberon, ou encore à sucer son pouce. Pour peu que vous lui en fassiez reproche, la jalousie dominera les relations des enfants, nourrie par la tension agressive vécue par l'aîné vis-à-vis du plus petit. Si, par contre, vous exprimez l'incompétence du nouveau-né, le grand se voudra rapidement protecteur et retournera vers son monde de grand, qu'il a conquis si difficilement et dont il sait qu'il peut être fier. C'est alors au père de l'emmener vers des promenades « de grands », qui les rendront si complices. Et si bébé dort dans votre chambre ? Je sais que je vais faire bondir les bien-pensants, mais c'est peut-être alors en reprenant le grand à dormir près de vous que la proximité du peau à peau entre fratrie préviendra l'agressivité du grand contre le petit ! Plus tard, ils pourront partager leur chambre pour dormir, même s'ils en ont chacun une pour jouer. C'est vers six ans seulement que l'aîné aura vraiment besoin de son domaine privé.

Lorsqu'il y a plus d'intervalle, près de cinq ans, l'organisation œdipienne dont nous parlerons plus loin permet à l'enfant de connaître sa vraie place par rapport à ses parents. Loin de l'état de bébé, il s'identifiera avec plus d'assurance au rôle parental, aimera changer les couches ou donner le repas. Vous devrez cependant veiller à ce que, commençant à déambuler, le petit ne fasse pas trop intrusion dans l'espace de l'aîné. La fatigue nerveuse peut alors susciter des attitudes très cruelles !

Enfin la venue du nouveau-né, alors que votre aîné entre dans l'adolescence, l'interpelle dans sa propre sexualité par rapport à la vôtre, d'autant plus que ce nouvel enfant n'est souvent pas du même compagnon, ou de la même compagne. Il est insolent d'arborer que l'on a une nouvelle vie sexuelle à l'heure où ce devrait être le tour, physiologiquement, de votre enfant pubère. La société, par l'état de dépendance qu'elle lui impose, le contraint à une sexualité refoulée, et la naissance d'un bébé de sa mère – ou de son père – peut être vécue comme une réelle provocation. Ce n'est pas pour autant qu'il faille se l'interdire, bien sûr, c'est bien vous qui faites un bébé et non votre enfant, mais il faut comprendre ce que cela peut avoir de douloureux surtout pour la jeune fille. Et ne pas vous étonner si elle cherche soudain à s'évader…

Quelles que soient ces particularités à chaque intervalle d'âge, élargir la fratrie est bénéfique à l'épanouissement, non parce que tout sera amour, comme en rêvent souvent les parents, mais parce que chaque nouvelle arrivée aide l'aîné à organiser sa vie psychique. L'enfant unique, par manque de ces expériences pendant l'enfance, devra expérimenter de nombreuses émotions inconnues alors qu'il sera déjà adulte. Apprendre à dépasser ses sentiments de rivalités fraternelles aide à s'épanouir.

Mais il ne faut jamais croire que les rivalités sont un jour définitivement résolues. Le suivi prolongé des familles sur deux générations m'a appris combien la relation de votre enfant avec ses frères et sœurs est dépendante de la relation qu'il a avec vous, ses parents. Rivalité, jalousie et compétition seront à l'aune de la plus ou moins forte bataille que vous lui avez imposée pour mériter votre amour. Elles resteront actives jusqu'à la mort. Lors de l'héritage, tout se cristallise, et le roman familial se rejoue comme en un grand théâtre.

Il n'a pas de copains… et alors ?

Dès l'âge de trois ans, ils ont un agenda plein d'anniversaires et de goûters chez des petits amis, vous échangez les déjeuners entre mères, rédigez les cartes d'invitation, acceptez qu'il dorme la nuit ailleurs et comprenez qu'elle n'aille à la danse que si sa « copine » y va. Vous êtes fière qu'il ait beaucoup d'amis.

— Il est vraiment sociable, docteur, me dites-vous en vous détendant sur le fauteuil.

Par contre, qu'une bande le refuse dans la cour d'école et c'est le drame. Que la maîtresse vous dise qu'il reste sur le banc du préau, et on le dira immature – quand on ne l'enverra pas chez le psy !

La vie dans son groupe de « pairs » est magnifiée dès l'âge de trois mois, où la crèche est supposée le rendre sociable, comme nous l'avons vu. Ses pairs sont censés mieux développer sa personnalité, et l'on connaît le succès qu'a rencontré le livre de Juliette Harris[9].

Mais voilà que cette « socialmania » à l'âge tendre vire à la vie en bande à l'adolescence. Petit à petit, vous n'avez plus la main, votre collégien traîne à l'extérieur en dehors d'heures de classe bien fantasques et vous ne savez jamais où il est. Il sort déjeuner dans quelque boulangerie transformée en « quick service », se dit chez un copain… « pour travailler », bien sûr ! Il s'annonce invité le week-end. Pendu à ses SMS, rugissant devant sa console, il devient un étranger. En vacances, il faut absolument que vous supportiez son amie, qui fait la tête complaisamment. Vous qui espériez alors les conversations que vous ne trouvez pas le temps d'avoir dans votre vie quotidienne, c'est raté.

Qu'à la puberté révolue, nos enfants aient besoin d'une vie privée, bien sûr ! Mais qu'ils deviennent inaccessibles dès l'âge de onze ans au prétexte d'être sociable, il y a péril quant à la transmission de vos valeurs. Soit ! cette vie en bande vous arrange bien, vous qui n'avez jamais le temps, qui voulez le voir gai malgré votre récent divorce… Mais la démission actuelle des parents sur les copains, encouragée par les psys de tous bords, me semble préjudiciable. Car la vérité, c'est qu'on n'est pas autonome à l'âge du collège, et même aujourd'hui du lycée et que l'on doit encore le respect à ses parents. Or le respect passe par un minimum de vie en commun. Cultivez-la et ne démissionnez pas !

III

UNE SEXUALITÉ RESPECTÉE...

Votre enfant s'épanouira d'autant plus naturellement qu'il se fera une bonne image de lui en tant qu'être sexué – la sexualité infantile n'étant absolument pas du même ordre que celle de l'adulte. Comment l'enfant forge-t-il sa conscience d'être garçon ou fille ? Comment s'en trouve-t-il heureux, tout en déployant un intérêt aimant vers l'autre sexe ?

1

La sexualité des petits

Naissance de l'identité sexuée

De nos jours, 75 % des parents demandent à connaître le sexe de leur fœtus lors de l'échographie. Ils peuvent donc imaginer leur futur enfant avec son identité sexuée avant même sa venue au monde.

À la naissance, le comportement des parents ne sera pas neutre. La mère qui lave et change, confrontée aux organes génitaux de son bébé, l'introduit chaque jour dans l'univers complexe de sa représentation du monde et dans son système de valeurs. Parmi ces valeurs, il en est une, capitale, qui concerne l'image qu'elle se fait de la féminité ou de la masculinité. Les soins les plus anodins permettent déjà d'esquisser la femme ou l'homme que sera ce bébé à l'âge adulte.

Face à face avec son fils sur la table à langer, six à sept fois par jour, elle ne peut oublier qu'il est garçon. Les organes génitaux du nouveau-né, gonflés par les hormones maternelles, ont une proportion magnifiée par l'œdème. « Comment vais-je faire sa toilette ? », c'est votre première question, tandis que, pour la fille, vous vous demandez quand pousseront ses cheveux… Devant ce fils, la distance s'impose, il devra attendre bien souvent que papa joue au ballon avec lui pour trouver une complicité de même sexe. Le nombre de changes pratiqué par le père reste toujours bien inférieur à celui pratiqué par la mère, malgré la mode des « nouveaux pères ».

Votre fille, elle, offre un physique neutre. Son pubis est à peine bombé. Vous avez un rapport les yeux dans les yeux, voix vers la bouche. La communication de pensée est immédiate, non parasitée par le sentiment d'altérité. Comme vous êtes nombreuses à me dire, « C'est une fille, on se comprend tout de suite… » Ainsi se joue précocement la transmission de la féminité. « Les secrets que partagent une mère et sa fille font ressortir l'image de femme que la mère porte en elle, et qu'elle exprime dans le projet éducatif qui fera de sa fille la femme de demain », analyse Bertrand Cramer. Le désir d'un garçon à la place d'une fille peut orienter celle-ci vers un comportement de « garçon manqué » pour ne pas décevoir sa mère, et réciproquement.

Ainsi, dès sa naissance, l'enfant, garçon ou fille, fait l'objet de conduites différenciatrices, et même discriminatoires. Les garçons, par exemple, seraient plus souvent nourris au sein, et les filles sevrées plus tôt.

Les pères participent également à cette construction de l'identité sexuée du bébé. Eux aussi se prononcent sans cesse, même par leurs silences, sur ce qu'ils attendent de leurs fils, de leurs filles. L'étude des processus menant à l'identité de l'enfant ne saurait donc être complète sans donner un poids égal à la contribution paternelle, même si elle est un peu différée dans le temps.

Le comportement différencié du père en fonction du sexe de son enfant est d'autant plus caricatural qu'il passe moins de temps avec lui, ou elle. En rentrant à la maison le soir, un père qui travaille fera volontiers compliment à sa petite fille de la magnifique chemise de nuit rose dont elle s'est parée. Tandis qu'il expliquera au garçon le ballet de pompiers qui l'a retardé.

Par contre, si le père est à la maison pour cause de congé parental ou de période de chômage, il considère bientôt ses enfants pour les êtres humains qu'ils sont, fille comme garçon, et parlera des planètes à la petite sans prêter attention première à la joliesse de sa toilette. Le dialogue continu avec leurs enfants rend les pères moins sexistes et plus humains.

Mais, en dépit des pressions éducatives différenciées auxquelles les nourrissons sont soumis, il est difficile de les classer selon leur comportement en tant que garçons ou filles, tant ils se ressemblent avant l'âge de dix-huit mois : ils choisissent les mêmes jouets, ont les mêmes centres d'intérêt…

Ensuite seulement apparaissent les stéréotypes sexués. J'ai longtemps cru que garçons et filles trouvaient leur identité sous l'effet d'un conditionnement normatif venu de l'extérieur. Force m'a été de constater, avec l'apparition de l'ordinateur, pour lequel il n'y avait pas de stéréotype social et qui remporte un vif succès chez les petits garçons, qu'à trois ans l'adéquation aux stéréotypes masculins et féminins est déjà réalisée : le garçon agressif, actif et dominateur est déjà modelé, comme en témoignent les rayons de ses jouets préférés. La fille, elle, joue la fonction maternelle puis la séduction.

Estelle farfouille dans la boîte de petits jouets sur le bureau de ma secrétaire. Elle hésite. Sa mère lui propose la maman chèvre avec les chevreaux qui tètent. Non. La fermière qui donne le grain ? Elle fait la moue.

— Dépêche-toi ! La dame a autre chose à faire !

La petite main se ferme timidement sur une petite épée argentée. Sous les sourcils froncés de sa mère, la petite hésite... puis rassure :

— C'est pour les garçons, alors je la donnerai à David.

Estelle commence à réaliser l'altérité de son frère. Son désir d'appropriation se heurte à la conscience de l'inadéquation de son choix par rapport aux attributions de son sexe. Elle sent qu'elle met sa mère mal à l'aise avec ce désir d'épée et cherche un compromis entre l'intérêt qu'elle a pour le jouet et l'inadéquation avec son identité sexuée. Alors elle justifie son désir par le don à son frère, promesse différée car le petit garçon n'est pas là.

Est-ce la médiation des jeux et des jouets, des manuels scolaires, des contes et des légendes, qui fait assimiler l'image stéréotypée des rôles parentaux et des caractéristiques psychologiques supposées des hommes et des femmes ? Edmond Rostand disait déjà que « le fait d'avoir joué aux poupées et aux soldats de plomb est aussi important que les hormones dans la différenciation psychique de l'homme et de la femme ».

Ou bien la société se contente-t-elle de renforcer ce qui est inscrit dans le corps du fœtus, puis dans son psychisme, lors des interactions précoces avec ses parents ?

Pour élargir l'univers de votre enfant et ne pas le cantonner aux préoccupations de son sexe, la grande famille, la fratrie, les jeux en groupe apportent la diversité des intérêts. Alors un garçon s'autorise à jouer avec les Barbies de sa sœur, comme une fille peut prendre les manettes de la console avec son cousin. Tout en apprenant à se situer, avec ses propres affinités.

Quand Œdipe passe par là

L'enfant a besoin de comprendre qu'il n'est pas sa mère ni son père : il est autre. Pour se développer, il s'identifie jusqu'à sa quatrième année soit à l'un, soit à l'autre, tour à tour, en excluant chaque fois le second. Il est difficile d'être le parent rejeté ou ignoré, mais vous devez savoir que la situation est passagère.

Bientôt, dans sa cinquième année, la petite aura bien pris sa place, en fille comme maman ; maman qui est la femme de papa.

Le complexe d'Œdipe est normalement résolu vers cinq ans, permettant à votre enfant de se sentir bien dans sa peau, dans son identité sexuée, à sa juste place par rapport à sa mère et à son père. Il est capable de penser : « Je suis un garçon comme papa, je ne ferai pas de bébé avec maman car c'est papa son amoureux. Je suis un enfant et dois grandir pour me trouver, plus tard, une femme ; à mon tour. »

Cette question de la similitude ou de la différence sera ensuite régulièrement réexpérimentée avec plus ou moins de succès au cours de l'existence. Après cette étape majeure du stade œdipien se réactive régulièrement le processus qui amène votre enfant à se rassurer avec plus ou moins d'aisance sur la place qu'il occupe (à vos propres yeux et dans le regard d'autrui).

Non seulement l'enfant apprend à différencier les rôles selon les sexes à partir de l'observation directe des comportements des parents, mais il les vit lui-même dans ses jeux et par son utilisation des jouets.

Dès lors, petit à petit, il en vient à rejeter les jouets de l'autre sexe, d'autant plus facilement que la reconnaissance de son identité lui procure des satisfactions. Non seulement le jouet a un rôle majeur dans l'éveil de l'intelligence rationnelle, mais il est aussi un outil que l'enfant s'accapare pour étayer sa personne sexuée. Les stéréotypes de choix selon le sexe sont acquis très précocement, dès la troisième année.

Le jeu de poupée, si important dans l'espèce humaine, est la prédilection des filles plus que des garçons, surtout lorsqu'il s'agit de poupées en tant qu'objets passifs de leurs soins et de leur intérêt soutenu.

La poupée animale, la peluche, convient, elle, aux deux sexes, car elle est substitut de l'enfant lui-même, pour les garçons comme pour les filles. Aujourd'hui, on permet plus au garçon de jouer avec son doudou. Mais le lien instauré entre la peluche animale et l'enfant n'est pas de même nature lorsqu'il s'agit du garçon. Ce dernier manifeste souvent des réactions de rejet, de brutalité – il lance brutalement son singe en peluche contre le pied de son lit –, signe de défense à l'égard de son propre passé, et particulièrement de sa dépendance affective. Il lui faut résister à la tentation de régresser à l'état de bébé, tandis que la fille, s'identifiant à la mère, peut justifier au niveau conscient son intérêt pour de tels jouets : elle projette sur lui non pas l'idée d'elle-même petite mais celle du bébé à dorloter. Elle doit dépasser son premier désir, celui de rester bébé (identification régressive), en maternant des bébés (identification à l'image de la mère chaleureuse et sécurisante).

Ainsi, les jouets et jeux spécifiques de chacun des sexes occupent une hiérarchie de plus en plus nette avec l'âge, perçue aussi bien par les enfants que par les adultes. Les choix sont plus sélectifs chez les garçons que chez les filles et la pression est plus forte chez eux : leur comportement est rarement défini positivement comme une chose qu'ils devraient faire, mais plutôt négativement comme ce qu'ils ne devraient pas faire ou pas être. La préférence pour les jouets de l'autre sexe est mieux tolérée chez les filles.

À partir de cinq ans, l'identité est claire :

— Les filles parlent des bébés qu'elles auront et rêvent de princes charmants, alors que les garçons de leur âge s'intéressent peu à elles.

— Eux cherchent plutôt une bonne bagarre ou un bon match, qui les formeront pour leurs conquêtes futures.

Chez les enfants de huit à onze ans, les rôles sont étroitement clivés, comme en témoignent les jeux en cours de récréation.

Co-sleeping ou préinceste ?

— *Nous venons vous voir parce que nous n'en pouvons plus ! Elle se réveille toutes les nuits !*

Chloé joue ostensiblement avec les instruments médicaux.

— *À tel point que nous n'en voulons pas un deuxième, renchérit le père. Voilà des mois et des mois que nous n'avons plus de soirées.*

— *Alors, comment faites-vous ?*

— *Nous la ramenons dans sa chambre, une fois, deux fois... Mais il faut toujours, malgré les histoires, les verres d'eau, finir par céder à ses pleurs...*

— *Alors ?*

— *Alors ma femme s'endort auprès d'elle, dans sa chambre, et moi je passe la soirée tout seul !*

— *Avez-vous essayé de la coucher dans votre lit ?*

— *Dans notre lit ? dit la mère. Ah oui ! À ce moment, elle s'endormirait tout de suite.*

— *Sans vous ?*

— *Oui, dès lors que c'est dans notre lit.*

— *Mais je ne veux pas lui donner de mauvaises habitudes, évidemment, dit le père.*

— *Est-ce que ce ne serait pas plus simple pourtant de sauver ainsi votre soirée d'amoureux ?*

— *Nous l'avons déjà fait, avoue la mère, en la transportant après dans son lit. Mais, plus tard dans la nuit, elle se réveille. Et pleure. Jusqu'à ce que nous allions la voir. Nous avons tout essayé, la gronder, fermer la porte, résister... Elle se fait vomir !*

— *Et la prendre dans votre lit pour la fin de la nuit ?*

— *Ça se termine comme ça, docteur. Mais nous sommes fatigués.*

— *Vous êtes fatigués parce que vous vous battez contre elle, entre vous, ou parce que sa présence dans votre lit vous fatigue ?*

— *Une fois qu'elle dort, elle ne nous gêne pas. Mais à dix-huit mois, ce n'est pas normal, n'est-ce pas ?*

Je racontais ces scènes (huit consultations pédiatriques sur dix entre un et trois ans) à mon ami Björn, le créateur de votre porte-bébé préféré.

— Comment réglez-vous cette situation, en Suède, où les enfants sont au sein de leur mère jusqu'à six mois minimum, le plus souvent une bonne année ? Or qui dit allaitement dit bébé qui somnole au sein sans vouloir le quitter pendant des heures, plusieurs fois par nuit, dans ce tendre peau à peau si bénéfique à la relation mère-enfant… Qu'appellera-t-on alors « réveils nocturnes » ? Une tétée n'a pas vraiment de début et de fin, et il suffit de vouloir déplacer le nourrisson pour qu'il se réveille et cherche à nouveau à téter…

— Eh bien ! Nous avons de grands lits pour dormir tous ensemble !

— Pendant la deuxième année ?

— Et même bien plus tard…

— En France, on crierait au danger d'étouffement chez le bébé, d'inceste ensuite !

— INCESTE ?

Je revois sa mine incrédule. Puis il réfléchit :

— Je pense que c'est tout le contraire : plus on a été en proximité avec notre tout petit, bébé puis jeune enfant, moins il serait possible d'avoir la moindre pulsion incestueuse. Je ne comprends même pas comment on peut l'imaginer…

En cela Björn rejoint les observations des éthologues, qui étudient le comportement animal : plus les adultes ont été en contact avec le bébé, moins ils pourront lui faire le moindre mal, avoir le moindre contact à connotation sexuelle. Comme si le bébé lové entre sa mère et son père se confirmait comme étant la chair de leur chair, un prolongement physique d'eux-mêmes et donc intouchable, non désirable. Alors que l'enfant élevé de façon distale, biberon, chambre séparée, est plus étranger et plus en risque de déclencher des pulsions chez un parent immature.

On vous fait peur avec le risque de mort subite ? Pour avoir tant vécu dans des pays où il est naturel de dormir ensemble, je suis étonnée par le spectre souvent évoqué du danger de la mort subite. Toutes les statistiques montrent que l'on trouve beaucoup moins de bébés morts subitement dans le lit de leurs parents que dans leur berceau. Mais les épidémiologistes occidentaux continuent de conclure, malgré ces chiffres, que le *co-sleeping* est dangereux. Alors qu'on peut tout au plus en déduire qu'il ne protège pas à 100 %.

Je remarque qu'on a déjà fait un progrès car les référents de la mort subite reconnaissent enfin que mieux vaut garder le bébé dans sa chambre. Mais pour obéir à leurs consignes, on se doit de stipuler : « Le bébé doit dormir sur un matelas à côté de votre lit. » Je rêve donc d'un petit lit à hauteur du vôtre, collé au vôtre, et qui vous permettrait de dormir à côté de votre bébé sans qu'il soit à proprement parler dans votre lit.

À partir de six mois, vous pourrez installer le bébé dans sa chambre. C'est entre neuf et dix-huit mois que viennent souvent les peurs d'endormissement et les réveils nocturnes. Alors, vous organiserez une douce transhumance, comme celle proposée plus haut.

Et même arrivée la deuxième année, bien sûr, s'il vous arrive de dormir avec votre enfant, vous prendrez plusieurs précautions :

- *Vous ne prendrez pas de somnifère, ni ne boirez d'alcool, ni ne fumerez.*
- *Vous n'êtes pas obèse.*
- *Vous dormirez sur une literie ferme, sans couette rabattue ni oreiller moelleux.*
- *Vous n'hésiterez pas à donner du lait à chaque réveil.*
- *Dans votre lit, vous porterez toujours un pyjama.*
- *Et c'est vers quatre ans que votre enfant pourra comprendre votre désir d'être « tranquille ».*

Comme disait Björn, il faut que ça s'arrête quand les parents en sont gênés…

Pour votre tout petit, l'entrée dans la nuit est une réelle menace. Pour basculer dans le sommeil, il doit renoncer en quelques instants à toutes les activités dont il est si fier et qui font de lui le héros « irrésistible » aux yeux de la famille. Votre enfant doit abandonner l'exercice de la logique, renoncer à sa vigilance et troquer le monde de la raison auquel il s'exerce toute la journée contre celui du fantasme. L'entrée dans le sommeil enclenche ainsi un processus de régression, rendant affolante la séparation majorée par l'obscurité de la nuit.

Si ce processus est forcé, la solitude fait ressurgir les désirs d'unions avec la mère protectrice. Le garder près de vous, dans la tiédeur et la chaleur de votre chambre, permet à l'enfant de se ressourcer, et ce pour son plus grand bien : autant il s'est essayé à l'autonomie et à l'indépendance pendant le jour, autant il aimera revenir à des positions plus dépendantes pendant la nuit. Le sommeil entraîne nécessairement ce genre de retour aux sources. Il porte en lui le symbole d'une résurgence de l'état de dépendance infantile. « Selon la façon de concevoir ce retour à la prime enfance, la nuit sera soit une mère accueillante, soit la sorcière dévorante des cauchemars[10]. »

Pendant l'analyse de la situation, Chloé avait peu à peu délaissé mon matériel pour s'approcher du bureau et me regarder droit dans les yeux. Je la rassurais :

— Ce n'est pas grave, tu sais.

Son sourire soudain traduisit son soulagement et sa joie de se sentir comprise. Elle se hissa sur les genoux de sa mère et son père la couvait du regard ; il était réconcilié avec sa fille.

Nous sommes pourtant convenus d'un rendez-vous dans trois mois, car je les sentais perplexes. On leur avait tant dit qu'il est mauvais de dormir proches de son enfant, confondant la période de grande dépendance et l'heure de la résolution du complexe d'Œdipe, comme nous l'avons vu plus haut, qu'ils restaient un peu inquiets.

Bien sûr, il ne faut pas confondre la situation où la place du petit est claire (il est l'enfant d'un couple amoureux), avec celle où il est instrumentalisé pour faire écran entre les parents, l'un refusant la relation sexuelle avec l'autre.

Après un dîner, une de mes amies m'avait demandé de monter pour quelques confidences ayant trait aux enfants, tandis que nos époux fumaient leur cigare au salon. Dans la chambre parentale, le grand lit était flanqué d'un petit matelas d'un côté, d'un lit-parapluie de l'autre. Outre les deux plus jeunes qui les occupaient, Mathias, âgé de quatre ans, s'était endormi dans le lit des parents.

— Comment puis-je faire pour qu'il dorme désormais dans sa chambre, mon aîné ?

Nous passâmes en revue toutes les solutions possibles : histoire, verre d'eau, doudou, endormissement par le père, verre de lait, porte fermée quelques minutes… Il fallut deux heures pour que la mère capitule :

— Bon… En fait, je pense que je n'ai pas envie que le champ soit libre pour mon mari. Je n'ai plus envie de faire l'amour.

— Mais où dort le père ?

— Au salon.

Voilà, bien sûr, une situation à ne pas confondre avec la précédente !

Ainsi, il doit y avoir une fin à tout : le partage de la chambre les premiers mois, qui, avec les précautions que j'ai dites, permet de passer, en douceur, de la fusion à la séparation, ne doit pas faire oublier le passage obligé du « dormir chez soi » dans la quatrième année, essentiel pour devenir un enfant épanoui.

Et s'il mouille son lit ?

— Non, maman ! Ne le dis pas !

Le visage de l'enfant se renfrogne, il jette un regard noir à sa mère. Comment être épanoui lorsqu'on porte cette humiliation : faire pipi au lit ?

— Vous comprenez, docteur, il en a assez d'aller chez le psy !

Il est généralement admis dans l'opinion que l'énurésie est d'origine psychologique ; les psychologues eux-mêmes ne sont pas vraiment au courant de l'existence de deux formes d'énurésie bien distinctes, selon la classification d'Ajuriaguerra, pédopsychiatre :

— L'« énurésie primaire » est la plus courante : votre enfant n'a jamais été vraiment sec la nuit, seulement un jour par-ci par-là. C'est une immaturité du sommeil et de l'axe de régulation des voies urinaires. Mais, en raison de son pronostic spontanément favorable et malgré sa fréquence, elle n'est pas reconnue comme une maladie à part entière par le corps médical. Ce trouble ne bénéficie quasiment pas d'enseignement lors des études de médecine, ce qui explique que les praticiens ne montrent qu'une faible implication face à ce problème. Pourtant l'énurésie primaire a des conséquences souvent importantes dans la vie sociale, familiale et scolaire des enfants.

— On parle d'« énurésie secondaire » lorsque votre enfant a été propre pendant au moins six mois, souvent plus d'un an. Et puis, un beau matin, le lit est mouillé. Il faut alors rechercher un traumatisme psychologique, par exemple le décès d'une grand-mère, la disparition de votre chien ou la mésentente parentale... Dans ces cas, oui, la psychothérapie est la bonne approche, qui aidera à trouver le traumatisme responsable et à surmonter le mal-être qui en découle. Mais c'est la situation d'un dixième seulement des enfants énurétiques.

Il suffit de donner cette explication scientifique au petit énurétique pour que son visage s'ouvre et qu'il soit alors très intéressé !

Je sors mes dessins d'anatomie :

— Tu vois, l'urine se fabrique dans les reins et coule en permanence par ces tuyaux, les uretères, dans un réservoir, la vessie. Mais en ce moment, pendant que nous nous parlons, l'urine ne coule pas dans notre culotte, ni dans celle des grandes personnes, ni dans la tienne. Parce que tu fermes sans y penser ton sphincter, une sorte de bouchon à la base du réservoir.

Il opine, passionné.

— Mais la nuit, ton sommeil est profond, tu dors et tu ne sens pas lorsque le réservoir est plein. Ça déborde…

— C'est exactement ce qu'il me dit, il dort trop, confirme la mère.

Et l'enfant opine, souriant, heureux d'être compris. J'insiste :

— Ce n'est pas de ta faute. Certains, à ton âge, ont le sommeil plus léger. Mais peut-être que, pendant la journée, ils sont moins attentifs, ou moins actifs… À chacun son développement.

Lorsqu'on traduit pour l'enfant ce qui se passe dans son corps, il vous donne le sourire le plus radieux, il se sent compris et respecté. C'est la condition pour s'épanouir malgré l'énurésie.

Malheureusement, elle échappe souvent à une prise en charge médicale adéquate, ce qui n'est pas sans conséquences. Les parents ressentent un sentiment d'échec éducatif. L'enquête réalisée par la Sofres en 1997 souligne ce sentiment de culpabilité des mères : 48 % d'entre elles estiment qu'elles peuvent être responsables de l'énurésie de leur enfant. 57 % pensent que l'énurésie a débuté dans des circonstances particulières (décès, divorce…). Toutes ces croyances aboutissent fréquemment à un dysfonctionnement intrafamilial. Il s'agit tantôt d'un tabou, tantôt d'une mauvaise relation parents-enfants pouvant se traduire par des punitions, voire des brimades, retrouvées dans 20 à 36 % des études. À l'extrême, des sévices sont rapportés.

Et les répercussions de l'énurésie ne se limitent pas au domaine familial.

La vie sociale de l'enfant est souvent perturbée. En effet, le petit énurétique a tendance à s'isoler, tout simplement parce qu'il veut éviter des situations « à risque », telles que passer la nuit, un week-end ou des vacances chez un camarade. De même, conséquence directe de l'énurésie, l'enfant ne participe généralement pas aux classes vertes ni aux séjours en collectivité. L'altération des relations avec les autres enfants est rapportée par 9 % des enseignants et par un médecin scolaire sur deux. Les répercussions directement scolaires sont, quant à elles, difficiles à apprécier. Selon l'enquête, 2 % des mères, 4 % des enfants, 15 % des médecins scolaires et 26 % des enseignants pensent que l'énurésie a des répercussions sur les résultats à l'école. Une autre étude réalisée en 1999 faisait état de 11,3 % de troubles scolaires. Un troisième travail mené auprès de 890 enfants rapportait une prévalence de l'énurésie de 6,7 % et mettait en évidence une relation entre l'existence d'une énurésie et le risque de redoubler le cours préparatoire. L'impact de l'énurésie sur la scolarité est probablement lié à ses conséquences (et non pas causes) psychologiques. Une angoisse est présente dans 45 % des cas, une instabilité et une hyperactivité dans 27 % des cas, un manque de confiance dans 21 % des cas. Des troubles de l'humeur ou des troubles du sommeil sont notés chez respectivement 11 % et 6 % des enfants. Certaines répercussions psychologiques sont indiscutables et reconnues de tous, insiste le Dr Blanc : diminution de l'estime de soi, voire sentiment d'humiliation, et repli sur soi. Le lien de causalité entre l'énurésie et les autres troubles est plus hypothétique.

Une fois qu'on lui aura expliqué les mécanismes de son corps, il va bien sûr falloir aider cet enfant. Car « chez un enfant gêné dans sa vie sociale et familiale, et motivé, une prise en charge adaptée permet d'accélérer la disparition du symptôme dans la grande majorité des cas », insiste le Dr Henri Lottmann, médecin urologue infantile. Cette prise en charge par des entretiens, des examens, des médicaments éventuellement, permettra également de réduire le risque de persistance du trouble à l'âge adulte. Car, chaque année, les bilans réalisés par l'armée confirment la persistance d'énurésie à l'âge adulte. Mais c'est alors un sujet tabou, chez un adulte qui ne sera jamais plus épanoui.

2

L'estime de soi

Trop gros, trop maigre, mal dans sa peau

L'homme entre dans mon bureau, affable comme toujours. Un patriarche fier d'offrir à sa jeune femme et à ses deux enfants tout ce que la vie ne lui a pas donné. Le couple demande à me parler avant de faire entrer Michael.

— Il est odieux avec son père ! me confie d'emblée la mère.

— C'est de mal en pis, docteur. Je lui offre tous les cours qu'il veut, il double sa sixième en institution privée... Mais il ne veut pas faire d'efforts !

— Vous lui faites beaucoup de reproches ?

— J'essaie de me contenir...

— Mais il sait bien ce que son père pense, complète la mère. Il parle très mal à son père...

— Je ne comprends pas pourquoi. On dirait qu'il m'en veut alors que c'est lui qui fuit le travail...

— Je peux le voir seul ?

Je connais bien l'enfant. Il a une dysmorphie congénitale, avec un visage aquilin, des cheveux roux très fins poussant lentement, une petite taille... J'ai déjà demandé à plusieurs reprises des bilans, qui ont montré des anomalies squelettiques permettant de nommer son syndrome. Une maladie génétique comme il en existe beaucoup. Malgré tous les spécialistes consultés alors que Michael était petit, ses parents n'ont jamais voulu qu'on lui en donne le nom, qu'on parle génétique avec l'enfant, de peur de le blesser, de peur aussi de lui avoir transmis un gène pathologique. Je suis mal à l'aise avec cette situation, mais, à cet âge, mon rôle n'est pas de révéler des secrets auxquels les parents ne seraient pas prêts à faire face.

Michael s'est tassé sur sa chaise. Il contemple silencieusement ses doigts, une main puis l'autre, face dorsale, face ventrale.

— Pourquoi ai-je de drôles de doigts ? commence-t-il.

— C'est vrai, ils sont particuliers…

— Tout ronds au bout.

— C'est génétique. Chacun a ses particularités morphologiques.

— Est-ce que je vais encore grandir ?

— Je te mesure ?

Il se déshabille avec une nonchalance accablée…

— Un mètre quarante. Oui, tu continues de grandir…

— Je serai grand comme mon père ?

— On fait ta courbe de croissance ?

— Oui…

Il sera un peu plus petit, un mètre soixante-cinq. Il trouve que c'est bien peu. Contemple à nouveau ses doigts, me parle de son omoplate, décollée.

— C'est ta constitution de naissance. Tu fais ta kiné ?

Ça le « rase ». Il est perplexe. Se trouve étrange. Voudrait savoir. Mais il sent que le secret est entretenu par ses parents ; qu'il n'a pas le droit à la vérité. Comment avoir envie d'apprendre, dans ces conditions ? Sans savoir qui on va devenir ? Pourquoi il a tant de difficultés à se concentrer ? L'exigence paternelle ne conduit qu'à le désespérer un peu plus… Je lui dis que je vais réfléchir encore avec ses parents pour savoir comment mieux l'aider.

Ils reviennent. Je les garde seuls. J'insiste :

— Ce n'est plus possible. Nous devons expliquer à votre fils qu'il a une pathologie.

— Quelle pathologie ? me demande le père avec agressivité.

Je relis la lettre du généticien de l'hôpital Necker.

— Vous vous souvenez de la consultation du Dr X ? Voilà ce qu'il écrivait : « L'enfant est atteint d'un syndrome associant des anomalies squelettiques, des phanères grêles, une petite taille et parfois un retard pubertaire. » Je vous ai déjà lu ce compte rendu, n'est-ce pas ?

— Oui, et alors ? Ça n'empêche pas qu'il doive faire ses devoirs ?

— Sauf qu'il se trouve « nul ».

— C'est exactement son mot, confirme la mère. Et ses camarades lui font des réflexions, sur sa taille, sur ses cheveux...

Les enfants ont toujours été conformistes. Mais aujourd'hui plus que jamais, dans une société où les modèles proposés sont uniformisés par la télévision, il arrive que des enfants soient perçus comme vraiment différents : ceux qui sont plus petits ou plus gros que les autres, ceux qui ont un handicap physique visible, si léger soit-il, et même ceux qui ne portent pas de vêtements de marque – tous y sont sensibles, y compris les plus petits. Dans les grandes villes, les enfants noirs, asiatiques ou venant d'un autre pays, sont interpellés. Ceux qui sont en retard ou en avance dans leur scolarité, ceux qui ont un comportement ou un physique qui étonne peuvent être mis à l'index.

Aussi est-il nécessaire d'être très attentif aux moqueries pour « différence », même minimes, qui atteignent les enfants. Elles entraînent des maltraitances par les autres, parfois graves. Les cas, comme celui de Michael, où le sentiment de gêner les empêche de parler, surtout à leurs parents, ne sont pas rares. Favoriser l'expression et la parole est donc capital. En effet, si on écoute les enfants, s'ils se sentent profondément acceptés tels qu'ils sont, en premier lieu par leurs parents mais aussi par les enseignants et les adultes qui s'occupent d'eux, ils retrouveront force et courage et pourront se réconcilier avec eux-mêmes. Alors, souligne Marie-Bernard Chicaud[11], « ceux qui ont confiance en eux-mêmes rayonnent et ont une réelle beauté, même s'ils portent une quelconque disgrâce physique ».

Revenons à la consultation avec les parents de Michael :

— Cela n'a rien d'étrange. Pour l'instant, il ne s'aime pas, et ne se comprend pas. S'il pouvait avoir une explication scientifique à son état...

— Jamais nous ne lui dirons qu'il est anormal ! Ce n'est pas ça qui lui donnera une meilleure image de lui !

— Il aurait au moins l'idée que ses parents le respectent, qu'il est assez bien pour mériter la vérité sur son propre état de santé.

Car l'estime de soi commence par le respect que nos parents nous portent.

Il faudra plusieurs entretiens pour amener ce père à concevoir que l'enfant serait plus disponible pour étudier s'il connaissait la vérité sur lui-même. Mais quand on eut enfin expliqué à Michael sa pathologie, il se mit à surfer sur Internet et devint plus savant que les médecins. Ayant appris à s'accepter, il libéra ses capacités intellectuelles de façon quasi magique. C'est alors que son père tomba brusquement malade... L'acceptation de la vérité avait permis à l'enfant de s'ouvrir, mais l'orage avait éclaté alors sur la tête du père : tous ses rêves de bonheur sans nuages s'étaient écroulés.

Aider un enfant à s'épanouir, c'est accepter qu'il ne soit pas parfait. Le drame de ce père était que son projet et sa fierté consistaient à rendre ses proches parfaitement heureux. Il avait épousé une femme jeune, intelligente et remarquablement élégante. Ils avaient une qualité de vie exceptionnelle. Et deux enfants qu'il aurait voulu dépourvus de toute faiblesse. Il était dans l'impossibilité de faire son deuil de la perfection inaccessible et se sentait coupable de n'avoir pas pu transmettre des gènes totalement normaux à son fils. C'est son incapacité à satisfaire les attentes de son père, plus même que sa maladie, qui avait tant invalidé l'enfant.

Il faut sortir de l'utopie qui voudrait que notre rôle de parent soit d'éviter à notre enfant angoisse ou tristesse. Une vie sans nuages, cela n'existe pas. Au lieu de nous escrimer à leur éviter les épreuves, à combler leurs manques, mieux vaut les éduquer pour les rendre forts face aux difficultés qu'ils rencontreront immanquablement. Cette force ne s'acquiert que dans des rapports sincères et dans le respect de leur capacité à franchir les obstacles.

Lorsqu'il rencontre une personne qui le considère comme digne de vérité, l'enfant peut développer cette résilience dont parle si bien Boris Cyrulnik[12] : « Quand le mot résilience est né en physique, il désignait l'aptitude d'un corps à résister à un choc. Mais il attribuait trop d'importance à la substance. Quand il est passé dans les sciences sociales, il a signifié la capacité à réussir, à vivre et à se développer positivement d'une manière socialement acceptable, en dépit du stress ou d'une adversité qui comporte normalement le risque grave d'une issue négative. »

La confiance en soi mobilise toutes les ressources de la personnalité. Conduire un enfant à s'épanouir avec ses particularités physiques, de caractère, d'intelligence, d'empathie, voilà le grand défi. Tout enfant éprouve un jour ou l'autre un trouble du rapport à son image. Trop grand, trop petit, trop gros, pas assez musclé... Accepter son corps, son tempérament, ses capacités, est toujours un apprentissage fluctuant. Celui qui était bien dans sa peau à cinq ans peut se sentir inférieur aux autres à neuf... Rien n'est jamais acquis.

Mais dès lors que vous apprenez à votre enfant comment éprouver le poids de ses limites, comment évaluer les situations, apprécier et faire fructifier les rencontres, la confiance en soi, sans cesse renouvelée, tenant compte de l'expérience acquise mais aussi de la nécessité d'un avenir à réaliser, ouvre le champ des possibles : trouver en soi et mobiliser pour soi et pour autrui les ressources du bonheur.

Docteur, est-il anatomiquement normal ?

On ne dira jamais assez l'extrême pudeur qu'impose l'examen médical de l'enfant. Mais de ce fait un aspect est souvent occulté, qui peut entraver gravement son épanouissement ultérieur : le développement de ses organes génitaux.

Qui a dit que la taille du sexe masculin n'avait pas d'importance ? Tout serait dans les métamorphoses du désir et dans le savoir-faire érotique. Voilà de quoi rassurer chaque homme dans sa virilité.

Ce n'est pourtant pas ainsi que se pose la question dans le secret du cabinet médical. S'il y a un vrai problème, le nier n'aidera pas l'enfant à s'épanouir. Vous osez souvent vous confier :

— *Il a douze ans et sa verge est restée très petite. Peut-on faire quelque chose ? Maintenant, il n'ose en parler à per-*

sonne, ne veut pas qu'on l'examine, je regrette de ne pas avoir insisté auprès du médecin lorsqu'il était petit, mais il m'avait tellement affirmé qu'elle se développerait... Mon fils est réellement malheureux avec cette question.

— Docteur, j'ose à peine vous en parler, mais il « l'a » beaucoup plus petite que son frère, je ne peux pas m'empêcher d'être soucieuse, ne serait-ce que parce qu'ils vont se comparer...

— Vous avez vu comme son zizi est petit ? On dirait un simple bouton. Rentré comme son ombilic !

— Son père se fait du souci, vous croyez que ça peut se développer ?

Oui, c'est une vraie grande question, le plus souvent impossible à poser, et le plus souvent totalement niée par les médecins. Avec plusieurs décennies de pratique, je dois reconnaître que lorsqu'à douze ans votre garçon a toujours un très petit pénis, il n'ose plus en parler, mais dans la confidence du cabinet, il dit son grand complexe. Comment être un adolescent épanoui lorsqu'on n'a pas une bonne image de son sexe ?

Il faut un infini respect de l'enfant en consultation pédiatrique. Le fait de ne pas enlever sa culotte dès lors que la propreté sphinctérienne est acquise est la première marque de ce respect. La propreté atteste qu'il a conscience que les pulsions se maîtrisent.

— Mets-toi tout nu, dit la mère, au fait de la fonction médicale.

— Mais garde ta culotte, répond le médecin.

Ainsi doit-on éviter « l'aspect sexuel de l'examen médical » dénoncé par Sophie de Mijolla-Mellor et « les fantasmes qui l'accompagnent, il est attesté dans la plupart des souvenirs d'enfance, et plus généralement encore par le jeu dit "du docteur" et ce qu'il autorise comme explorations et manipulations diverses sous couvert d'une identification à la compétence médicale. Si le jeu en question est à dominante sadomasochiste, ce n'est pas seulement parce qu'il y est question d'infliger des piqûres, mais parce qu'il repose sur la soumission à un savoir et à une éventuelle violence exercée au nom du Bien, sous la forme de la bonne santé ».

Au contraire, l'examen peut être complet sans être gênant. « Garde ta culotte » : le regard de gratitude alors décoché en dit long sur l'apaisement de l'enfant, qui sait sa pudeur comprise. La visite a toujours lieu avec les parents, et l'examen des organes génitaux se fera en s'excusant, délicatement, juste en baissant légèrement le slip. Alors un rapport de sécurité est créé. Pour les confidences de l'enfant plus grand, elles pourront se recueillir une fois l'examen terminé et le petit rhabillé par le parent. Ensuite, et ensuite seulement, assis face à face, de part et d'autre de la table, les confidences peuvent se recueillir.

Le complexe de sexe trop petit s'accompagne d'une cohorte d'angoisses et de stratégies d'évitement : l'enfant complexé ne voudra pas aller aux toilettes à la récréation. Pour éviter les comparaisons entre garçons, il aura le doigt levé en classe pour aller aux toilettes une fois la cloche sonnée, mais se fera alors réprimander, voire interdire de sortir. Certains professeurs pensent à accompagner l'enfant en récréation pour comprendre. On rencontre aussi des refus de faire du foot pour ne pas avoir à se déshabiller au vestiaire. Combien de garçons craignent de porter un caleçon moulant, n'osent pas courtiser les filles… Obsédés par leur différence, ils ont l'impression que, même habillés, tout le monde « le sait »…

La politique de l'autruche, très généralement pratiquée, aboutit simplement à une omerta psychologique douloureuse pour la vie entière. Cette conspiration du silence est certes compréhensible de la part des parents, et je mets en garde ceux qui se répandent à la cantonade, mettant amis et familles au courant de détails aussi intimes qu'un testicule non descendu ou un pénis mal refermé. Devenu adolescent, bien réparé, le jeune supportera très mal que cousins et cousines soient au courant de son anomalie.

— Dès que j'arrive au salon, ma mère et mes tantes se réjouissent que l'opération ait si bien marché quand j'étais petit ! me dit Mathis, treize ans. Je m'en passerais ! Qu'est-ce que ma mère est allée en parler à tout le monde ?

Mais devant votre angoisse du moment, vous n'avez pas imaginé que le bébé deviendrait un grand garçon, désireux de préserver ses histoires intimes.

Il n'est donc pas question de publier *urbi et orbi* vos soucis concernant la taille de son sexe. Par contre, dans le secret du cabinet médical, mieux vaut évacuer la question alors qu'il est encore bébé. Le silence habituel est dû à l'ignorance des moyens thérapeutiques, ignorance d'autant plus entretenue que notre éducation judéo-chrétienne nous interdit d'imaginer que le sexe des anges, pardon... des nourrissons, fera partie de leur image corporelle future.

Seuls quelques endocrinologues pédiatriques ont la franchise d'aborder clairement le sujet de la taille du pénis chez le bébé :

— D'abord, il faut connaître les limites supérieures et inférieures de la taille dans la population (à ce propos, l'idée que certaines ethnies auraient des tailles différentes est démentie en pratique pédiatrique). Dès lors que votre garçon a, selon son âge, une dimension plus ou moins grande, mais dans la moyenne, il est important que vous le sachiez et qu'il le sache. L'érection donne une grandeur en proportion de la taille au repos, mais qui varie aussi bien sûr avec l'intensité du désir envers la partenaire. Tout est donc possible dans cette gamme de tailles normales.

— Si la longueur est inférieure, il faut considérer que le nourrisson est souvent un peu rond, un coussinet graisseux enrobant la racine de sa verge. En appuyant à la base, on voit la taille réelle du sexe. On parle alors de « verge enfouie » et l'on peut définitivement vous rassurer.

— Reste les cas où le pénis est réellement hypotrophe. Pourquoi le taire, alors qu'un traitement hormonal précoce peut le faire se développer ? Vous consulterez un pédiatre spécialisé en endocrinologie, tout à fait confidentiellement.

Donner à votre enfant toutes les chances d'être épanoui, c'est en effet veiller au développement harmonieux de son anatomie à un âge où son image de soi est encore balbutiante.

3

L'adolescent peut-il être épanoui ?

Soyons clair : non, c'est impossible. Question de physiologie du cerveau. Le Dr Jay Giedd[13] montre que la matière grise des adolescents est en pleine mutation : la partie du cerveau qui gère la responsabilité et le contrôle des pulsions n'est pas arrivée à maturité. Alors qu'on croyait le tissu neuronal achevé à la puberté, il subit au contraire alors un véritable chambardement, sous forme d'une sorte de « dégraissage ». Une restructuration neuronale qui explique la difficulté à maîtriser les pulsions. Voilà pourquoi votre fille devient soudain si étrange, claquant la porte et s'enfermant pour revenir délicieuse quelques heures plus tard ; pourquoi votre fils n'a plus envie de rien mais est capable de donner des coups de pied dans sa porte à la moindre contrariété... avec une force vraiment exceptionnelle, pouvant dépasser celle d'un adulte, comme le montre l'histoire suivante !

La mère de Marion avait alerté les pompiers : les murs de son appartement étaient ébranlés chaque soir à la même heure par des tremblements semblant provoqués par des coups de marteau sur les murs... mais aucuns travaux n'étaient en cours chez les voisins. Qu'est-ce qui faisait donc trembler les parois en fin de journée ? Les investigations des pompiers furent stériles et les parents en vinrent à invoquer des phénomènes surnaturels. Ils appelèrent un spécialiste du paranormal. Il s'assit à l'heure dite avec les parents et les enfants, Marion, le petit Gustave de quatre ans et le bébé, au salon. On attendit en devisant, buvant un verre. Au bout de

trois quarts d'heure... les murs tremblèrent, comme si une se-
cousse sismique les agitait. Alors le spécialiste remarqua :
— Marion n'est pas là ?
— Marion ???

La fillette revenait au salon, rose et moite, le regard
ailleurs... Le décalage entre l'importance des vibrations et la
force d'une gamine de dix ans rendait tellement impensable
l'idée que la petite soit responsable que rien ne fut dit. On
laissa la question sans réponse. Les parents remercièrent le
spécialiste, les tremblements des murs ne reprirent plus et l'af-
faire parut close. On refusa de faire appel à un psy. Plus tard,
Marion, ira de pensions en échecs scolaires...

Pas trop tôt !

Si ces remaniements physiologiques sont de toute éternité,
l'adolescence est, aujourd'hui plus encore qu'autrefois, une
période de malaise absolu, pour l'adolescent et pour son entourage. Car, bien plus qu'aux générations précédentes, cet
état de métamorphose s'étire de l'âge de dix ans jusqu'à
vingt-cinq ans, âge qui, les statistiques le démontrent, sonne
le départ du toit familial. 10-25 ans, c'est d'ailleurs la définition de l'adolescence retenue par l'OMS. Nos habitudes culturelles incitent les jeunes à ne pas quitter leur cocon,
totalement inappétents pour des études assommantes ; tandis
qu'en Algérie où aucun avenir ne s'offre aux jeunes, l'expression est tristement classique : ils « tiennent les murs ».

L'impossibilité notoire d'être épanoui, pendant cette décennie et demie, est la hantise des parents. Ce qui ne vous
empêche pas de devancer la situation, parlant déjà de
« préado » pour des enfants d'à peine neuf ans... « À douze
ans, les enfants vivent comme s'ils en avaient dix-huit. Et à
six ans, comme s'ils en avaient douze ! » regrette Patrice
Huerre, psychiatre responsable d'une unité pour adolescents.
« On les fait grandir trop vite, en zappant cette "période de
latence", entre six et douze ans, que l'on a transformée en
préadolescence[14]. »

Résultat, votre héritier passe la plus longue partie de son
enfance à se renfrogner, grommeler, se replier sur lui-même,

courber la tête, froncer les sourcils derrière les mèches gominées tombant sur son front, traîner le pas avec ses Nike délacées disparaissant sous les jambes avachies de son pantalon sans ceinture, les pans de sa chemise à mi-genoux. Le tout de grande marque et fort coûteux bien sûr, car il vous a harcelé jusqu'à vider votre carte bancaire pour porter ce nouvel uniforme, dont il ignore la signification (la tenue d'un délinquant dont on a enlevé lacets et ceinture en prison), mais qu'ils s'imposent entre copains en signe de transgression des codes familiaux.

Oui, notre société nous prédit l'adolescent comme une fleur d'hibiscus qui se ferme le soir tombé. Mais la nuit promet d'être longue…

Bien sûr, nombre d'entre vous me diront : « Pas du tout ! Le mien, la mienne, est un vrai plaisir. À quinze ans, tout va bien ! » Restez modeste… ne croyez pas que pour vous, c'est gagné. L'orage peut alors éclater à retardement, autour de vingt-deux ans par une crise d'autant plus grave que votre enfant-adulte se croira à même de couper radicalement les liens sans préjudice pour lui.

Soyez averti : déminer le terrain peut alors vraiment vous offrir – et lui offrir – une décennie joyeuse qui l'amènera à bon port : le port de l'autonomie sociale et amoureuse. Mais j'ai bien dit une décennie…

Peut-on être une fille épanouie ?

Ah ! La peur de « tomber enceinte » qui frappait les filles de ma génération… et leurs parents ! C'était la honte au lycée quand l'une d'entre nous devait avouer une grossesse après une soirée de slow un peu trop langoureux. Jeune externe en médecine, j'ai vu ces adolescentes, meurtries par des « faiseuses d'anges », avorteuses clandestines maniant la queue de persil, mourir à l'hôpital Claude-Bernard dans les spasmes d'un tétanos… On ne dira jamais assez combien la contraception avec la possibilité d'avoir un enfant « si je veux » a rendu la dignité aux filles et la sérénité aux parents. Alors, oui, aujourd'hui les filles ont la cote, si vous ajoutez qu'elles travaillent mieux en classe que les garçons, se droguent moins, réclament moins de motos et reviennent plus vers leurs parents une fois leur propre famille constituée. Aussi, à la naissance, tout le monde est heureux d'avoir une fille.

Mais d'autres problèmes sont en embuscade, qu'il vous faut bien connaître pour les déjouer.

Les filles ont le verbe si cruel... Vous devrez souvent faire face à leur étrange cruauté. Les filles sont bien plus expertes que les garçons dans le maniement du verbe. Le discours autour des mères pathogènes, si répandu dans les magazines, comme dans la bouche de nombreux psys, accomplit là un effet boomerang. On peut tout vous reprocher, c'est socialement accepté. L'époque où le père avait du poids lorsqu'il disait : « Ne parle pas comme ça à ta mère ! » est révolue.

Quand, venant avec votre ado, vous me dites combien ses réflexions à votre égard sont blessantes, elle me jette un regard amusé. Car, pour elle, ce n'est pas sérieux, c'est un jeu, un exercice de dérision qui lui permet de s'ébattre vers l'indépendance dont l'envie la brûle. Tant pis si elle vous brise, ce n'est pas son problème, à elle en fait si fragile, pauvre petit « homard » qui, en pleine mue, a perdu sa carapace, selon la métaphore de Françoise Dolto.

L'effet dévastateur de ce procès fait par les jeunes filles d'aujourd'hui à leur mère se fera sentir au moment de leur propre maternité : comment accueillir sereinement leur bébé sans redouter – le plus souvent inconsciemment – d'être à son tour clouée au pilori une fois venue son adolescence ? Certaines seront stériles, allant jusqu'à bloquer leur ovulation. D'autres feront une dépression postnatale incompréhensible à leur entourage, alors qu'apparemment elles ont « tout pour être heureuses ». D'autres enfin essaieront tant d'être des mères parfaites qu'elles s'épuiseront dans les attentions à leurs enfants. Le comble étant la rupture prolongée de mère à fille, exemple terrifiant pour leurs propres enfants. Le pédopsychiatre Serge Lebovici nous a montré combien il fallait réparer le lien générationnel lorsque nous voyons une future mère en rupture avec la sienne. Ce qui ne veut pas dire que toute jeune femme n'ait pas à être critique vis-à-vis de sa propre mère, mais tolérance et respect doivent redevenir des valeurs de notre civilisation. Parce que chacun a besoin de ses racines.

Vous l'avez compris, je ne parle pas des provocations vestimentaires, de la téléphonite aiguë, des pressions pour sortir. Ces revendications légitimes de toute adolescente sont d'autant plus difficiles à contenir que notre société de commerce et de communication les pousse à mimer les adultes de plus en plus tôt tandis que leur réelle indépendance sociale est aujourd'hui retardée. Parvenir à une cohabitation entre adultes mûrs et adolescent n'est pas le moindre des enjeux que vous aurez à gérer pendant cette période. Savoir doser entre tolérance et fermeté suppose que, loin des principes tout faits, la complicité que vous aurez su tisser au fil des ans vous permettra de trouver la méthode adaptée à votre situation et au tempérament de votre enfant. N'écoutez pas les amis qui vous disent : « Mais tu devrais interdire... » ou au contraire « Laisse-le vivre », écoutez ce que vous pensez adéquat pour votre adolescent, à ce moment-là.

Florence vient pour recevoir un rappel de vaccination. Chronique d'une consultation ordinaire à cet âge :

La mère tient, me dit-elle, à un « bon examen général », comme il a été recommandé par le collège. Florence – elle a treize ans – a rechigné dans la salle d'attente entre les jouets et les couffins : « C'est pas ma place ! » Elle s'avachit dans le fauteuil, plutôt renfrognée.

— Elle souffre souvent de maux de tête, raconte la mère. En ce moment, elle se plaint depuis cinq jours...

— Mais non ! N'importe quoi ! bougonne la jeune fille en levant les yeux au ciel. Ça ne fait pas cinq jours !

— Je me trompe ? demande humblement la mère. Depuis combien de temps alors ?

La jeune fille réfléchit, bredouille des jours, bâille... La mère attend, la mine lasse. C'est fou comme les mères d'aujourd'hui supportent un haut niveau d'insolence...

Je demande à Florence de commencer à se dévêtir pour l'examen... Mais elle reste engoncée dans ses pulls et rêvasse sur son siège, répandue telle une montre molle de Dali.

— Tu veux que je te mesure ?

L'œil s'allume. La taille est un paramètre fondamental pour les jeunes...

— *Alors, il faut enlever tes chaussures...*

Elle concède. Et là, c'est gagné. Lorsqu'on a déplié l'adolescente, mesuré en souriant, projeté sa taille sur sa courbe, évalué honnêtement sa vitesse de croissance, l'alliance est faite.

— *Il faut aussi te peser, ajoute la maman.*

Patatras ! Ne proposez jamais à une adolescente de la peser dès lors qu'elle est – naturellement – un peu ronde. Seules les sauterelles apprécieront. Je vole au secours de la demoiselle :

— *Tu n'es pas obligée de te peser. Seulement si tu veux. Vous pouvez nous laisser seules ?*

La mère opine, soulagée. Les parents d'aujourd'hui sont heureux lorsqu'ils peuvent s'appuyer sur un médiateur de confiance ; à condition qu'ils soient certains que le professionnel ne jouera pas contre eux, contre leur autorité, leur complicité avec leur enfant. Et ils ont raison. Rien n'est plus néfaste que de casser la chaîne grands-parents-parents-enfants...

Dès lors, seule avec moi, avertie de la notion de secret médical, y compris envers les parents, Florence peut me confier ses soucis de poids sans voir peser la lourde anxiété de sa mère et craindre les remontrances devant les paquets de gâteaux grignotés, part de petite enfance volée au temps pour ces jeunes qu'on a voulu « autonomes » trop tôt. Puis ce sont les vésicules minuscules de chaque côté de son nez qui l'horripilent... même si elle reconnaît que sa mère accumule les achats de cosmétiques très peu utilisés.

— *Ça sert à rien !*

Son découragement est sincère.

Les filles sont cependant beaucoup plus ratons laveurs de leur peau que les garçons. Elles se veulent « clean », lisses, sans fragilité aucune. Rien ne vaut alors une bonne explication scientifique. Je lui explique la valeur du tampon « PP », preuve que le produit a une efficacité clinique démontrée. Savoir que les adultes se préoccupent de ne pas tricher est structurant à tout âge.

Tout peut alors se dire, de la préoccupation des règles à venir, des conflits avec les parents, des questions de sorties, de « fumettes ». Non que l'on puisse prétendre donner des solutions à la place des parents mais on peut apporter un soutien neutre et expérimenté aux interrogations de la jeune fille. Lorsque la consultation prend ainsi un tour libre, elle apporte une moisson d'échanges étayant pour l'adolescent. Ensuite, la mère est réintroduite, en présence de la jeune fille. L'alliance avec les parents est indispensable au suivi des adolescents.

L'instauration d'un bilan médical systématique en cinquième est une excellente initiative. Si le plus souvent ce n'est que l'occasion d'établir un dialogue qui permette au jeune de trouver une oreille professionnelle en cas de malaise, cette consultation est aussi l'occasion de dépister les situations à risque. Car si la plupart ne traversent qu'une fugace crise d'ados, 15 % d'entre eux vont vraiment mal, avec 40 000 tentatives de suicides par an et 700 décès. Après la Suisse, la France est le pays où les jeunes se suicident le plus. Et les parents en sont conscients : le taux de consultations chez le psy a doublé en quatre ans.

L'anorexie, comme un déni de devenir femme. *Leslie a beaucoup changé. La petite fille un peu ronde et souriante que je suis depuis la naissance a maintenant les yeux creux et le regard sombre, les clavicules saillantes barrées des doubles bretelles de son débardeur. Pas besoin de soutien-gorge, elle est totalement androgyne. Mais elle a le regard aigu et garde le verbe franc de son enfance.*

Sa mère m'avait prévenue, inquiète.

— Avec tous ces magazines qui montrent des mannequins comme des squelettes, docteur… Et en plus nous travaillons dans la mode, avec mon mari. Elle nous a toujours vus rechercher des filles maigres, pour les catalogues. C'est notre faute…

Pour toutes ces jeunes filles aujourd'hui obsédées par leur ligne, incriminer la mode n'est voir que le haut de l'iceberg.

Leslie ne veut pas que je la pèse.

— Tu as beaucoup maigri…

— Oui. Je sais. Ça me dégoûtait d'être grosse.

— Tu n'as jamais été grosse !

— Je commençais à avoir des rondeurs, ma mère disait « féminines », mais c'étaient des excroissances obèses…

— Tu veux dire que tu commençais à avoir de la poitrine ?

— Des seins, des fesses, des replis gras partout, oui ! De la graisse, de la cellulite, immonde…

Elle pince le haut de ses maigres cuisses à travers le jean.

— Eh bien, si tu en as eu, tu l'as perdue ! Et tu te sens bien dans ta peau, actuellement ?

— Je sais que je suis trop maigre, aux yeux de mes parents. Mais c'est honteux d'être gros… Moi je suis très bien ainsi !

— Tu te fais vomir ?

— Oui. Quand ils insistent pour que je mange, je vais aux toilettes.

Elle a un petit rire cristallin… Elle est dans une sorte de jubilation de savoir « mettre le verrou » psychique à toute tentation.

— Tu as un petit copain ?

— Non, rassurez-vous !

— Pourquoi penses-tu que cela me rassure ?

— Parce que les « keums »… non merci !

La voix se fait gutturale, accompagnée de cette moue de dégoût que nous rencontrons si souvent chez les jeunes filles anorexiques, dégoût à l'idée d'être un objet de désir pour l'homme. L'interdiction du plaisir alimentaire repose sur le refus d'un plaisir plus caché, celui de la sexualité.

— Tu veux que je te mesure ?

Un gentil sourire. La taille oui, ça elle veut bien.

— Tu penses que ta mère a une vie heureuse ?

Ma question l'étonne, mais l'intéresse. Son regard se perd un peu, elle veut répondre sérieusement.

— Non. Maman n'est pas heureuse.

— Fatiguée ?

— Oui, et puis, avec papa qui l'engueule tout le temps… C'est un dominateur !

— Ça te fait peur, une vie comme ça ?

— Oh là ! Oui !

— Mais peut-être que ta mère a des parts de bonheur qu'elle ne t'a pas dites ?

— Alors, elles sont bien cachées… En plus, je sais que mon père la trompe. Je l'ai vue pleurer.

Pour dire son mépris de ce que son père fait subir à sa mère, sa voix reprend la même raucité qu'elle a eue en parlant des garçons. Le mépris de l'un a entraîné la peur des autres. Si l'image de la femme vécue à travers la mère est effrayante, parce que dévalorisée par le père, comment la fillette pourrait-elle se réjouir de la transformation de son corps, d'explorer le registre nouveau de sa féminité ?

Quels que soient les critères androgynes de beauté dans notre société, toute jeune fille ne sombre pas dans le refus alimentaire. Il y faut une situation prédisposante. Et je retrouve toujours l'exemple d'une mère malheureuse, dont la responsabilité incombe au père autant qu'à elle-même. Quand on dira aux hommes que la tendresse qu'ils manifesteront à leur femme retentira sur le désir de féminité de leur fille, peut-être certains commenceront-ils une réflexion fructueuse ?

Je demandai aux parents de Leslie de venir. Nous eûmes une conversation profonde sur leur bonheur personnel. Ils entamèrent une psychothérapie de couple. Mais il faudra plus d'un an pour que Leslie se remette à manger et accepte l'idée de devenir femme.

Les angoisses de « la première fois ». Vous faites un effort pour fermer pudiquement les yeux sur la « première fois », pour ne rien demander tout en glissant discrètement l'adresse de la gynéco sur la table de nuit… Nous ne sommes pas de ces cultures où l'on étend le drap à la fenêtre le jour des noces pour montrer le sang de la défloration, et c'est heureux que vous ne fassiez pas ainsi effraction sociale à ce que votre enfant a de plus intime. Mais ne croyons pas pour autant que le premier acte a la même signification pour une jeune fille que pour un garçon. Lorsqu'elle « y sera passée », elle aura besoin d'un immense respect, elle qui lui aura donné sa virginité. Laisser penser aux garçons – que nous continuons d'élever comme des coqs – qu'on peut abandonner sans suite une jeune fille déflorée, c'est en faire des goujats. Or je n'entends pas beaucoup de pères transmettre ce message à leur fils…

Lorsque la jeune fille s'épanouit, elle peut s'élancer avec un enthousiasme débridé vers ses nouvelles relations, et vous voilà affolé des notes téléphoniques, des demandes de sortie, des heures passées devant les feuilletons les plus niais, du travail qui ne se fait pas.

— Il m'a dit que, elle m'a dit que, je lui ai répondu que...

Vous protestez : elle vient à peine de quitter ses amis, et se répand en insipides et microscopiques banalités. À vos yeux. En réalité, à l'âge où s'ouvre sa corolle, l'enfant teste le monde qui l'éblouit, il s'exerce aux relations sociales ; ce passage incontournable devrait vous réjouir. Autant nous nous inquiétons pour celle qui se confine dans sa chambre, n'appelle personne et pleure en s'endormant, autant cet appétit de communication avec autrui est d'excellent pronostic.

Bien sûr, vous y mettrez des garde-fous, pour sa sécurité, sachant où elle est, qui elle fréquente. Mais laissez-la exister, sachez donner du lest au bon moment et vous réjouir de sa joie de vivre.

Un jour, vous la trouvez étrange, elle est sortie tardivement de sa chambre, maussade, alanguie et secrète. Vous me dites souvent votre souci de savoir qu'elle sera respectée lors de son premier rapport amoureux. Rien n'est plus destructeur en effet qu'une défloration décevante. Elle était amoureuse, avait idéalisé le prince charmant, et elle a la sensation d'avoir tout perdu : sa virginité, ses illusions et sa confiance dans la vie. L'échec du premier rapport amoureux peut être un véritable traumatisme. Après une expérience avec un partenaire sexuel indélicat ou immature, elle décide alors souvent de se défendre face à tous les hommes, par un comportement frigide, en une sorte de vengeance passive. Le premier rapport sera un échec catastrophique si l'homme paraît indifférent après l'acte. Les jeunes garçons le savent-ils ? Peu de pères, nous le verrons, ont des conversations fondatrices à cet égard. Et lorsque j'entends des psys dire que « le premier baiser est tout aussi important que la première relation sexuelle », je me dis que ce sont plus des propos d'homme que de psys... Bien sûr, le premier baiser est très important. Mais il ne représente pas le séisme de la première pénétration, le caractère irréversible de la défloration, l'immense enjeu pour l'estime de soi qu'est le premier rapport pour une adolescente !

Le premier acte amoureux peut aussi être un immense succès, si l'homme sait être reconnaissant du don de ce corps qui lui est fait, s'il conforte la fierté de la jeune fille dans sa promotion de femme.

Ce n'est pas par une conversation précise et impudique que vous préparerez votre fille à une sexualité épanouie, mais plutôt par votre propre comportement. Combien de mères donnent des relations sexuelles une image négative par des complaintes et des récriminations concernant leur propre sexualité. Préparer votre fille à ne pas laisser un garçon expérimenter sa virilité sur son corps ne veut pas dire la prévenir contre tout homme. Une présence suffisante vous permettra de faire des commentaires délicats sur les relations de ses amies. Il est souvent plus facile de transmettre ses valeurs en déplaçant la question sur l'entourage. L'adolescente le vivra moins comme une intrusion ou une attaque contre elle-même.

La contraception ? N'attendez pas qu'elle vienne vous prévenir avant son premier rapport amoureux. Comment pourrait-elle savoir quand il aura lieu ? On est là dans le domaine de l'intime et de sa vie privée. Vous devez simplement lui donner l'adresse d'une gynécologue (femme pour les débuts) et lui expliquer ce qu'est le secret médical : le médecin ne répète pas ce qui se déroule dans le secret de son cabinet, même aux parents, vous ne le direz jamais assez. Votre enfant vous parle d'une amie qui « sort » déjà avec des garçons ? Vous pouvez alors lui dire : « J'espère qu'elle choisira un garçon qui la mérite. Et que ton amie a l'adresse d'une gynécologue. Tu sais, j'en ai une dans cet agenda… » Ainsi, vous respectez son jardin secret, mais vous l'avez protégée. Ce n'est pas pour autant que vous l'aurez incitée à passer à l'acte. Les adolescents d'aujourd'hui ne sont guère plus précoces que dans les années 1960. Ils flirtent plus tôt – ce qu'ils appellent « sortir avec » –, mais ils n'ont leur premier rapport sexuel qu'à dix-sept ans pour la fille, seize ans et demi pour le garçon – en moyenne.

Il ne faut pas hésiter à parler cru avec les jeunes filles en leur disant combien, au même âge, les motivations des garçons sont différentes des leurs : les filles cherchent l'amour, la tendresse, un véritable compagnon, complice et respectueux. Les garçons, moins précoces, ne sont généralement pas du tout dans le même film : ils sont plutôt dans l'inquiétude de vérifier que leur virilité s'accomplit, que leur appareil sexuel fonctionne.

Le père de Blandine s'inquiétait. La jeune fille sortait en cachette et il l'avait surprise sous un porche enlacée avec un copain d'immeuble qui ne lui plaisait guère. Mais ni lui ni sa femme ne savaient comment parler à leur fille, et il me la laissait seule à seule, misant sur la confiance que nous avions établie elle et moi depuis sa tendre enfance. L'entretien fut d'abord admiratif de son avancement scolaire, puis l'examen médical me permit de lui confirmer comme elle était bien faite :

— Les garçons doivent te faire la cour…

— Oui, pas mal !

— Il faudra en choisir un qui te mérite…

— Me mérite ?

— Bien sûr. Moi qui te connais depuis que tu es petite, je peux te dire que, lorsqu'on est aussi bien que toi, bien élevée, gentille, intelligente… il faut dire « bas les pattes » le temps de trouver le bon. Surtout qu'à ton âge les garçons veulent surtout vérifier qu'ils savent faire. Une fois qu'ils ont vérifié, ils risquent de passer à une autre. Ce n'est pas à toi de les rassurer sur leur compétence virile. Mieux vaut les faire attendre pour vérifier vraiment le sérieux de leurs sentiments… et des tiens.

Elle éclata de rire.

— Ne vous inquiétez pas !

Le père doit conforter l'assurance de sa fille par un comportement mêlé de respect et d'admiration platonique pour sa beauté, en sorte qu'elle ne recherchera pas l'admiration des autres hommes de façon compulsive, ce qui la rendrait vulnérable. En même temps, la tendresse que le père témoigne à la mère apporte le plus grand message pour un futur harmonieux.

Bien souvent, c'est une grand-mère, une marraine, un professeur… qui peut dire d'une façon autre que les parents les vérités essentielles aux jeunes filles. Quant à porter un enfant alors qu'on est encore un enfant soi-même, ce n'est pas une façon de grandir et de se responsabiliser car, nous l'avons vu, c'est une jeune fille en quête d'affection et de reconnaissance par sa famille qui se réfugie de plus en plus dans le substitut affectif qu'est la grossesse : le nombre de grossesses non désirées chez de toutes jeunes filles n'a pas diminué malgré la contraception et l'IVG. Mais expliquer clairement à votre fille que la contraception ne dispense pas du préservatif, c'est compliqué. Le dire à l'occasion des frasques d'une amie, c'est plus facile. C'est aussi le rôle du médecin, de l'infirmière scolaire. Cependant, tout discours sanitaire n'aura que très peu d'effet si la jeune fille manque d'admirative affection dans son foyer…

La société favorise-t-elle l'épanouissement des garçons ?

Les garçons sont aujourd'hui encore plus en danger que les filles. Sursollicités par le multimédia pour lequel ils ont un tropisme spécifique à leur sexe, ils sont très tôt accros à leur gameboy, puis à leur console. Leur ordinateur les conduit vers des jeux de plus en plus violents. La bataille se livre tous les soirs dans la plupart des foyers entre la gamecube et les cahiers de textes – ou plutôt l'agenda où figurent plus les collages de leurs héros musclés et masqués que la liste de leur travail scolaire… Alors, si vous n'y avez pas pris garde, intoxiqué par ce monde sans parole, tout de fureur et de bruit, votre petit écolier agité voit ses neurones étrangement épuisés à l'adolescence.

Votre garçon devient une chiffe molle. Comme le Barbapapa de son enfance, il se métamorphose en se moulant au canapé. Ses énormes baskets (il chausse soudain du 44) lancées dans votre salon, il a gardé son jogging douteux, il y a longtemps que vous avez renoncé à insister pour qu'il se lave les dents et mette moins de gomina sur ses cheveux, penset-il que cela le protège comme une carapace ? Quand il n'est pas enfermé dans sa chambre devant son ordinateur, absorbé dans un *chat* quelconque, il actionne les manettes de sa console ou s'avachit devant la télévision. Au lycée, il n'est pas moins alangui et ses résultats s'effondrent.

Il a sa bande de copains, sur lesquels il laisse planer un certain mystère. Lorsqu'il va chez l'un ou l'autre, vous voulez bien essayer de croire que c'est « pour travailler », mais vous n'êtes pas totalement dupe. Vous devinez que les cassettes pornographiques ont remplacé la lecture de Titeuf mais refusez encore de voir que ce n'est plus seulement avec du tabac qu'il transgresse à présent les interdits parentaux. Cela, vous le réaliserez le plus tard possible, pendant longtemps, vous vous direz : le mien, non.

Les « rollers-parties » où l'on s'accroche au capot des voitures, les « jeux du foulard » – comprenez d'autostrangulation –, toutes ces pratiques à la mode qui ont provoqué soixante-quinze décès d'adolescents en quatre ans ? Ce sont les autres… même si vous le sentez de plus en plus ailleurs, imperméable à vos mises en garde.

Son quartier, sa chambre… sa télévision ? Ne rêvez pas de l'emmener à la campagne un week-end ! Il réclamera de rester sous prétexte de travailler, en fait pour sortir avec ses copains. Dans la vie en bande, il y a toujours un événement qui mérite qu'on s'enflamme, qu'on joue au dur : on s'invente un rival à combattre, un drame qui nous rendra la « fureur de vivre ». Surtout si, comme la majorité des familles, vous habitez la banlieue d'une grande ville. Aucun village, aujourd'hui triste et suspicieux autour de son café, n'apporte une mise en scène quotidienne aussi intense. Ces banlieues sans âme, sans vieilles pierres, vivent passionnément l'instant présent. Que les jeunes y parlent d'amour ou de haine, c'est l'envers d'une même médaille : la comédie humaine. Dans les banlieues, « l'amour et la haine affectent les habitants à chaque rencontre, créant une impression de vie intense, bien supérieure à la mort psychique des petits villages ou à la réserve vernie des beaux quartiers », dit le pédopsychiatre Boris Cyrulnik[15]. S'il vous prend l'envie – et la possibilité – de déménager, sachez-le, à l'entrée de l'adolescence, l'univers idéal n'est ainsi ni la campagne pleine de nature mais vide de vie, ni la banlieue pleine de béton mais vide d'histoire. Le meilleur milieu serait la ville, avec son centre historique, ses boutiques à taille humaine, ses terrasses de café, sa bibliothèque… où est toujours possible la rencontre apaisante ou la distraction stimulante, sans l'obligation d'appartenir à une bande.

À la maison, votre ado doit avoir son territoire. Mais je vous souhaite de ne pas avoir dès le collège installé « sa » télévision dans sa chambre, ni même « son » ordinateur, ni « sa » console. Cet équipement grise les pères, heureux de faire plaisir à leur garçon et de le voir maîtriser si bien les nouvelles technologies, et rassure les mères qui imaginent volontiers leur fils plongé dans ses recherches pour le prochain exposé… Sous la pressante demande du jeune, l'ordinateur est le cadeau incontournable pour Noël ou en récompense du dernier bulletin correct. Vous risquez d'y laisser votre capacité de dialogue avec votre enfant. Ne partageant plus ses jeux, ses échanges sur Internet, ses programmes télévisés, vous le verrez de plus en plus « autiste », enfermé dans un monde électronique. Même si vous ne lui portez pas encore son plateau-repas en frappant timidement à la porte, le phénomène *Yakikomori*, du nom donné au Japon à ce syndrome où le jeune vit des mois, des années, en reclus, abandonnant études, familles et amis autres que virtuels, fait son apparition en France !

Lionel avait toujours été un enfant sage. Sa mère avait demandé la séparation conjugale sans grand conflit apparent. Il allait à sa guise chez elle, très attentionnée, ou chez son père, l'un de ces pères aimants, présentant une tolérance passive aux désirs de l'enfant qui confine à une certaine absence psychique. Lorsque la mère rencontra son nouveau compagnon, l'adolescent fit un grand effort pour se montrer aimable. Mais il commença à s'ennuyer et se réfugia de plus en plus chez son père, d'autant qu'un bébé vint sceller le nouveau couple.
Le beau-père avait deux grandes filles auprès desquelles Javotte et Anastasia, les sœurs jalouses de Cendrillon, apparaissaient des tendrons, à écouter la description de leur attitude

par Lionel. Il s'enferma de plus en plus dans le mutisme, passant le plus clair de son temps chez son père. Là, l'empire de la technologie s'offrait à lui. Son père ne partageait pas sa passion, mais il acceptait que son fils s'enferme des week-ends entiers, seul, à copier des heures de musique, le regard hagard, les oreilles verrouillées par ses écouteurs, imperméable aux autres.

— Je n'en peux plus ! me dit la mère. J'ai l'impression que mon fils se dissout dans un monde virtuel. Je ne sais pas ce qu'il regarde, je ne sais pas ce qu'il écoute, je ne sais pas qui il rencontre sur le net, je ne sais pas ce qu'il pense. Ses résultats scolaires baissent et les professeurs le voient écraser des mégots, sans savoir ce qu'il fume…

— Qu'en pense son père ?

— Il commence aussi à s'inquiéter et me dit de le prendre plus à la maison. Mais Lionel trouve que mes deux belles-filles sont des pestes et mon nouveau compagnon le prend en grippe. Aussi veut-il de moins en moins venir, et je ne peux pas le contraindre, il a treize ans ! Mais je le sens tellement s'enfermer ! Il me fait penser à mon oncle, qui s'est révélé schizophrène à dix-neuf ans…

Elle avait maigri, posait à peine les yeux sur la petite fille qui s'agitait sur ses genoux.

L'examen et l'entretien ne montrant aucun prémice de psychose chez le garçon, je pus la rassurer, même s'il était encore trop tôt pour exclure toute pathologie, surtout s'il commençait à consommer du cannabis, qui semble un élément facilitant la survenue de maladies mentales. Il m'apparaissait qu'on était beaucoup plus dans l'ordre de ces petites névroses ordinaires qui sévissent en famille. Je lui proposai de voir le père, qui avait là l'occasion de jouer un rôle plus structurant pour son fils. Il ne vint pas au rendez-vous.

Quelques mois plus tard, pour éviter ce qu'elle redoutait, la mère accepta la rupture de son deuxième couple. Lionel réinvestit sa chambre dans la maison maternelle et retrouva le dialogue avec elle. Elle se sentait mieux ainsi. Le garçon est depuis devenu un jeune et brillant ingénieur. La mère vit seule avec sa petite fille. Cette solitude n'était-elle pas le désir – certainement inconscient – du fils… et du père ?

Leurs nouveaux rites

La solitude des parents face à leur adolescent fragilise leurs liens. Nous vivons dans une société où il n'y a plus, pour le jeune, de référents l'encourageant à écouter la parole de sages : ni marraines ni parrains, et les professeurs sont de moins en moins demandeurs de prendre en charge l'éducation, revendiquant le droit de limiter leur action à l'instruction ; les grands-parents sont absents ou discrédités, trop vieux, pas dans le coup ; porteurs de valeurs estimées dépassées ; les prêtres n'ont que très peu d'influence (le baptême et le catéchisme sont de moins en moins pratiqués).

Les cérémonies initiatiques ont disparu avec les référents : plus de distributions « solennelles » des prix, si peu de communions elles aussi « solennelles » – seule la communauté juive cultive le rite de passage à l'adolescence avec la barmitsva et sa préparation riche en symboles. Dans une telle déritualisation, nos ados créent leurs propres rites. C'est le clan qui dit les valeurs et instaure des rituels d'agrégation à la bande ; mais ces rituels d'enfants sans culture prennent un mode archaïque, unissant les membres soit par l'apaisement jusqu'à l'endormissement collectif ou l'ébriété grâce aux substances psychoactives, soit par la violence imposée à l'autre, où le groupe prend le pouvoir et impose sa force brutale aux isolés. Les passages à l'acte collectif sont alors facilités par la vie anonyme des banlieues. Comme dit Boris Cyrulnik : « Le surnombre rend l'autre nécessairement transparent si bien qu'en cas d'émotion forte plus rien ne vient freiner la violence. » Ainsi les adolescents développent-ils une nouvelle ritualisation, qui leur apporte les échanges affectifs dont ils ont été sevrés brutalement. Après avoir livré trop tôt l'enfant à lui-même au nom de l'autonomie, nous nous trouvons confrontés à sa recherche d'une famille de substitution, à travers sa bande. Les prédicateurs ne manquent pas pour alerter les familles et les responsables, mais qui les entend ? Parlant de la période de latence qui va de cinq à douze ans, le psychanalyste Paul Denis[16] écrit : « L'isolement affectif à cette période de l'existence produit toute une pathologie [...] qui prédispose l'enfant à une adolescence difficile. »

Un « petit joint » pour se détendre ?

Il a commencé par mettre un verrou à sa chambre et vous n'avez pas aimé. Maintenant, il allume des baguettes d'encens et vous voulez croire qu'il a soudain un penchant pour les douceurs orientales, rejetant totalement l'idée que ces fines baguettes sont le rideau de fumée masquant une autre odeur, celle du haschich. Il faut le secouer à dix reprises le matin pour qu'il se lève. Lui qui vous réveillait à l'aube lorsqu'il avait deux ans, si impatient de découvrir la vie, est aujourd'hui blasé de tout. À chacune de vos interventions, sur son devoir de travailler, de s'habiller, de ranger ses affaires, il soupire et proteste que vous « lui prenez la tête ».

Car votre adolescent est hanté par la crainte d'une intrusion de la part de ses parents, vis-à-vis desquels sa situation de dépendance affective et matérielle lui est insupportable. « Cette force des adultes qui me manque, parce que j'en ai besoin, est à la mesure même de ce besoin, c'est ce qui menace mon autonomie naissante[17] », traduit Philippe Jeammet.

Il brave les risques, cherchant non plus « vos » mais « ses » limites ; d'abord aux yeux de ses pairs, puis le glissement se fait vers la recherche de ses propres limites, pour lui seul. Voilà pourquoi, après le verrou, l'écran du haschich est bien commode. Émoussant ses pulsions à la rébellion, il l'aide à se protéger de vous par une fuite dans un monde intérieur lénifiant. D'autant plus que le partage du joint avec ses amis lui apporte, tel le calumet de la paix, cette cérémonie initiatique dont notre société l'a tant privé. Il faut les entendre vanter telle ou telle provenance de leurs barrettes, utiliser complaisamment des termes obscurs pour savourer leur plaisir de s'identifier à un monde d'initiés auquel leurs parents ne peuvent avoir accès.

En 2000, 17 % des garçons de dix-neuf ans (un sur six) reconnaissaient avoir un usage régulier du cannabis (plus de 20 fois par mois)[18]. Les jeunes Suédois sont beaucoup moins nombreux – est-ce le résultat d'une politique plus attentive aux besoins de l'enfant dès ses premières années, puis à l'école ? Malgré le remarquable rapport du sénateur Bernard Plasait appelant à la « fin du mythe des drogues douces », l'ignorance des effets marginalisant du haschich sur les jeunes, ignorance des professeurs, de la plupart des médecins, des journalistes, est en fait une non-assistance à génération en danger. Les pharmacologues ont beau dire comment les substances cannabinoïdes, de plus en plus concentrées dans le haschich qui circule actuellement, se substituent aux neuro-médiateurs ; les psychiatres ont beau constater des entrées dans la schizophrénie nettement précipitées par la consommation de « hasch », c'est un sujet tabou. Tout juste commence-t-on à verbaliser les fumeurs de joints au volant, sans faire le rapprochement entre l'incapacité qu'ont inévitablement les mêmes à se concentrer sur leurs textes scolaires, se marginalisant non seulement au bord de l'autoroute mais au bord des études, s'enfonçant vers l'orientation, qu'il faut traduire en langue de prof par *désorientation*. Quand on sait le temps de fixation des produits d'un joint dans les neurones de votre cher petit, on se demande pourquoi vous avez mis tant de soin à choisir son lieu de naissance, tant de soin à lui donner une nourriture saine, pour le laisser ensuite bouche cousue polluer ainsi son cerveau en pleine transformation adolescente ! Il faut dire que la conspiration du silence étant générale, la consommation régulière galopante, il est difficile à des parents de lutter seuls. Le seul moyen si vous lisez ce livre à temps : lui montrer avant même qu'il y touche, en CM1 ou CM2, ce qu'est une liaison entre deux neurones, ce que sont les neuromédiateurs et comment le THC, composant du haschich, encrasse ces synapses, empêchant le cerveau de transmettre normalement les informations de l'extérieur. S'il est scientifiquement informé avant toute consommation, votre enfant n'y touchera pas, ou s'en détournera plus rapidement.

Son corps comme un parchemin

Alors qu'il peut contrôler ses pensées, l'adolescent ne peut pas encore contrôler ses pulsions au niveau du corps. On peut voir là une des raisons des attaques ou des mutilations corporelles si fréquentes à cet âge. Cette chair, qui le trahit puisqu'elle vient révéler les émotions qu'il voulait garder cachées – émotions très liées à la sexualité –, votre adolescent la dissimule dans des vêtements trop amples, pourtant très inconfortables (avez-vous essayé de marcher avec un pantalon « baggy » dont le fond tombe à vos genoux ? Et porter des baskets sans lacets ?) ou l'attaque, de différentes façons selon les modes : tatouages, cloutages, piercings, autant de moyens pour lui de tenter de se réapproprier ce corps qui lui échappe. Il tente de le maîtriser, il le personnalise, le marque pour inscrire sa rage de vivre, parfois jusqu'à se détruire sous vos yeux impuissants. Cette nécessité de se distancer par marquage physique s'impose toujours aux adolescents. Par cette forme du rite initiatique, il signifie ainsi la coupure avec l'enfance et avec la soumission aux codes parentaux. Mais, nous l'avons vu au début de ce livre, votre enfant ne s'épanouira pas dans le reniement de ses parents. Il faut donner un coup d'arrêt aux stratégies de rupture. Plus rapidement et clairement vous direz votre hostilité à ces pratiques, consommations addictives et violences faites à lui-même, plus votre enfant pourra se dire « j'ai touché le but, je transgresse » et plus vite il pourra se construire dans cet espace éducatif bien défini. Si au contraire vous ne lui opposez que la politique de l'autruche ou la recherche de connivence (« c'était pareil pour moi mon chéri, je te comprends »), il cherchera plus loin le mur solide de la limite. Et la violence faite à lui-même sera d'autant plus grande.

Bien sûr, vous ne pouvez pas interdire tout ce qui vous met mal à l'aise. Mais au moins dire que vous n'êtes pas d'accord. Si votre fils arbore soudain un piercing au menton, si votre fille se rase les cheveux, inutile de lui dire que vous comprenez la jeunesse. Vous pouvez refuser de faire face à son arrogance tous les jours et proposer une mise en pension. Le respect, si souvent revendiqué par les adolescents, doit être réciproque : s'il se trouve bien chez vous, il doit respecter vos codes.

Le système du pensionnat revient ainsi à la mode, car les parents ont perdu la notion des limites à donner à leurs adolescents. Mais ne rêvez pas : on n'a pas encore, que je sache, créé le pensionnat idéal. Je vois souvent les enfants en revenir plus étrangers encore à leurs parents et toujours fumeurs de joints… Ce n'est bien sûr pas le cas de tous les établissements, mais de récentes statistiques montrent qu'en moyenne l'élève

interne consomme nettement plus de haschich que l'externe !
N'espérez jamais pouvoir déléguer votre rôle à d'autres, et
sachez que la plupart des internats ferment les yeux sur de
nombreuses pratiques que vous désavoueriez… Il n'en reste
pas moins que la solution est parfois salutaire lorsqu'un jeune
est dans un tel état de rage vis-à-vis de son foyer qu'il est prêt
à tout transgresser pour vous provoquer. La pension n'est pas
une punition, elle est une respiration qui peut permettre à
chacun de se retrouver face à soi-même. Encore faut-il qu'elle
soit bien comprise ainsi et non vécue comme un abandon ou
un purgatoire.

4

L'agression pornographique
et l'épanouissement sexuel

Nous vivons dans un pays où la liberté culturelle passe avant la protection de l'enfance. Il est de bon ton d'appliquer le principe de précaution pour la défense des loups ou des hérissons, mais il est considéré comme quasi fasciste de s'insurger contre le déversement d'images pornographiques dans la rue et les maisons, images dont l'effet désastreux est pourtant évident sur la sexualité de nos enfants.

Une amie gynécologue me disait récemment que de plus en plus de jeunes femmes se disent frigides. Leur petit ami leur ayant demandé avec insistance fellations et pénétrations anales, elles se pensent anormales de ne pas en avoir envie. Les garçons ont été initiés aux gestes amoureux par des films pornographiques où les femmes sont supposées trouver l'extase par des pénétrations multiples. Quand les parents n'en ont pas parlé avant que l'enfant découvre l'image, les dégâts sont importants. D'après les statistiques, un enfant sur deux a vu avant douze ans des images pornographiques, mais à vous écouter, c'est toujours l'enfant des autres. Vous n'imaginez pas que votre petit dévore ces cassettes chez le fils du voisin. Résultat, les jeunes ne devinent pas la scène amoureuse par le trou de la serrure de votre chambre, qui ne peut livrer qu'à travers un brouillard mystérieux cette fusion curieuse par laquelle ils sont venus au monde, mais sur les gros plans de films cadrant des fantasmes grossiers artificiellement montés. Et là, je rejoins Marcel Rufo : « N'oublions pas que ce qui fonde notre sexualité, c'est justement la méconnaissance de la sexualité de nos parents. » Si vous n'expliquez pas à vos enfants, avant la puberté, ce qu'est un film pornographique, à qui il s'adresse, comment il est fait, à quel travail de simulation s'exercent les comédiennes en mal de cachets… votre enfant croira que les relations sexuelles normales se déroulent ainsi. Et nous continuerons de recevoir dans notre cabinet des adolescentes qui se croient frigides.

Charlotte est une belle brunette qui glisse gracieusement dans mon bureau et s'assied en croisant les jambes avec élégance. Je me souviens des certificats l'autorisant à pratiquer la danse classique que je lui délivrais fillette. L'art a porté ses fruits. Sa mère m'a demandé de la recevoir malgré ses vingt ans car elle ne voulait se confier qu'à moi. Après quelques banalités sur ses études, elle entre dans le vif du sujet :

— Voilà : j'ai un ami.

— Depuis longtemps ?

— Plus d'un an…

— Il est gentil ?

— Vraiment adorable ! J'aime parler avec lui, me retrouver avec lui. Il fait les mêmes études.

— Il te respecte ?

— Justement, c'est là le problème. Lui, il pense que oui. Mais il veut faire l'amour avec moi. Au début j'ai dit oui. Mais je n'ai pas pris de plaisir. Alors, je me suis forcée. Puis je lui ai avoué que je n'aime pas ça. Il me dit que je ne suis pas normale. On se prend la tête des week-ends entiers, à en discuter. Il ne comprend pas pourquoi je n'aime pas.

— Et tu n'aimes pas parce que… ?

— Je n'aime pas parce que ça me fait mal. Il veut… (elle est gênée)… passer par-derrière, et moi, je ne peux pas. Maintenant j'angoisse avant même qu'il me touche.

— Et pourquoi ne lui dis-tu pas, tout simplement, de faire autrement ?

— Il insiste, ça se fait comme ça, toutes les filles aiment ça, je ne suis pas normale… Et si je discute avec mes amies, elles me disent que tous les garçons sont pareils, alors il faut bien y passer. Mais moi, je ne peux pas. Et, du coup, je suis énervée chaque fois que je sens l'occasion se présenter, je suis hyper-désagréable avec lui.

Difficile alors de trouver les mots qui rassurent. J'ai donné à Charlotte l'adresse d'un gynécologue qu'ils pourront consulter à deux. Mais elle craint de ne pouvoir y entraîner son ami. C'est elle qui n'est pas normale, point. J'insiste sur sa liberté à dire ce qu'elle ressent, à accepter ce qu'elle veut, à refuser l'idée de norme en la matière. Elle n'a pas envie de quitter mon cabinet, petite fille perdue à l'entrée de sa vie de femme. Je lui ai proposé de venir me voir avec le garçon, juste pour parler. Mais il ne viendra pas. Elle le sait.

Qu'on le veuille ou non, la référence aux modèles sociaux véhiculés par les médias fait partie intégrante de la confiance en soi. Il est pourtant nécessaire de ne pas réduire sa sexualité à ces modèles car elle est, bien sûr, propre à chaque personnalité.

Plaidoyer pour le respect de la sexualité infantile

Sous prétexte que Freud a révélé la sexualité infantile, les adultes l'ont assimilée à la leur. Puisque les enfants ont des notions de sexualité, ils comprendraient tout, on pourrait tout leur dire, quand ils ne seraient pas eux-mêmes séducteurs…

Comme le raconte Jean-Pierre Visier[19], « L'un de mes collègues a eu à expertiser récemment une petite fille qui avait subi des attouchements de la part d'un des membres de sa famille, et le magistrat demandait si cette petite fille de six ans n'avait pas pu séduire cet homme adulte… On se trouve là devant une représentation "dévoyée" de la sexualité infantile. Il y a confusion entre enfant et adulte, et tout se passe comme si le magistrat répétait la confusion qu'avait éventuellement pu faire l'adulte incestueux ». Or la sexualité infantile est un mode de pensée en mosaïque. Pour l'enfant, il n'y a pas une zone génitale élue, celle des organes sexués, mais tour à tour, selon les moments, des plages captant les messages sensuels, la main, le regard, le dos… n'importe quel carré de peau, n'importe quel capteur sensoriel, peut apporter des informations sur la sexualité. Après l'adolescence seulement, la sexualité se centrera sur les organes génitaux. Les stimuler, les érotiser de façon trop précoce nuit au développement psychique de l'enfant. C'est pourquoi le respect de cette période, si justement appelée par Freud « période de latence », est indispensable à la constitution d'une personne humaine harmonieuse.

Encore faut-il justement définir ce qu'est une personne humaine épanouie au plan de sa sexualité. La culture d'une société peut influer sur ce concept. Comme le souligne Boris Cyrulnik, la pédophilie était considérée encore récemment comme une approche artistique des rapports humains, sophistiquée, libérée.

Dans les années 1984-1985, Marcel Jullian animait une belle émission de France Inter, « Écran total ». Chaque matin, deux heures étaient consacrées à réagir sur un programme télévisé vu la veille. Ce jour-là, je fus prévenue que je devais regarder l'un des volets de « L'amour en France », une série de quinze documentaires sur nos contemporains. Le réalisateur bénéficiait de l'estime générale car il avait déjà tourné de remarquables essais. C'est donc avec une grande attention que je m'installai pour découvrir un épisode tourné dans une école maternelle, autour de l'éducation sexuelle des enfants. Quelle ne fut pas ma stupéfaction ! Dans cet épisode, qui est encore certainement disponible aux archives de France 2, la « maîtresse », comme disent les enfants, demandait parmi ces petits de cinq ans un volontaire pour montrer ses organes génitaux. Gloussements... rires nerveux... les enfants se cachent les uns derrière les autres, l'institutrice choisit le cobaye et fait grimper un petit garçon sur un bureau. Là, devant ses camarades, il se trouve le slip baissé pour que l'on puisse bien décrire les testicules et la verge !

Le lendemain, je proteste vigoureusement au micro de France Inter. Je sais que je vais passer pour une « coincée » réactionnaire, aussi je rappelle les travaux des psychanalystes, et en particulier de Jung qui, ayant travaillé sur les aborigènes australiens, avait montré que même l'homme le plus primitif est pudique. Comme je m'y attendis, le climat devint lourd à mon égard et je ne fus jamais réinvitée sur ce plateau... Il aura fallu l'horrible affaire Dutroux pour que les spécialistes et les enfants agressés devenus adultes puissent dire combien ils étaient salis par des pervers confondant sexualité infantile et sexualité adulte. Et je répète combien, en consultation, dès la quatrième année, l'enfant devient naturellement pudique. L'enfant a besoin d'être respecté dans son intimité.

Un adulte sexuellement épanoui est capable d'aimer l'autre, de lui procurer du plaisir et d'en recevoir sans contrainte, en sachant dire ses préférences et ses refus, en respectant ceux de l'autre ; il pourra prendre du plaisir à l'acte sexuel complet et procréer. Ou créer, la création étant un substitut pour sublimer sa vitalité.

Pour qu'un tel épanouissement soit possible, le comportement du père, mais aussi de toute figure paternelle – éducateur, grand-père... – ne doit pas être équivoque. C'est par sa rigueur qu'il pourra aider la fille à refouler ses préoccupations sexuelles et à vivre paisiblement sa période de latence, de quatre à douze ans, âge de la mise en veilleuse sexuelle, où elle doit renoncer au désir de séduire son père avec les mêmes atouts que sa mère. Une petite fille doit sentir que ce qui en elle plaît à son père, c'est son intelligence, ses progrès dans la connaissance du monde, mais aussi ses jeux féminins, de poupée, de coquetterie enfantine ; et non le fait qu'elle soit fille, sur le plan sexué. Le terme souvent utilisé par les familles : « Elle sait faire du charme à son père » n'est déjà pas vraiment heureux. Si l'on cultive trop ce registre, les parents n'aident pas l'enfant à renoncer à séduire le père. Et même si celui-ci ne se permet pas de gestes à connotation sexuelle envers la fillette, elle est encouragée à les fantasmer. C'est ce qui brouille parfois certains témoignages lorsqu'ils sont livrés à des oreilles insuffisamment formées à l'écoute de l'enfant. Le pédopsychiatre Bernard Golse en témoigne : « Un certain nombre d'adolescents et surtout d'adolescentes ont le sentiment d'avoir été violés sans toujours pouvoir faire la part de ce qui est réalité ou fantasme. On sait que les manœuvres incestueuses sont malheureusement plus fréquentes qu'on ne le pensait ; mais un certain nombre n'ont pas forcément eu de concrétisation physique, ni même de l'ordre de l'attouchement, mais correspondent à ces vécus, et ces sujets, de bonne foi, ont le sentiment qu'il s'est passé quelque chose avec leur père – ou un membre de la fratrie – d'ordre incestueux. Ils ne savent plus où mettre la barrière de la réalité. On le constate notamment dans le cours d'analyse de jeunes adultes[20]. »

Le respect du garçon est tout aussi essentiel, en miroir. Non seulement les attouchements ont un effet dévastateur sur sa sexualité future, mais la vision trop précoce de scènes sexuelles déformera son rapport avec la fille, comme nous l'avons vu. Il risque ensuite de s'interroger sur son incapacité à conserver un lien stable avec les jeunes filles.

Corinne ne savait plus à quel saint se vouer pour trouver une fille au pair. Je l'avais vue d'une fierté peu ordinaire à la naissance de son fils. Elle voulait tant un garçon ! Elle montra beaucoup de préoccupations pour la taille du pénis, eut besoin d'être confortée plusieurs fois sur sa normalité. Le père était assez effacé. Le second bébé, bien que mâle, ne suscita pas autant d'enthousiasme. Comme si le besoin de puissance virile était exaucé par l'aîné.

À neuf ans, Xavier avait déjà connu un grand turn-over de baby-sitter. Sa mère avait un métier accaparant et son père voyageait beaucoup, aussi la présence d'un adulte s'imposait-elle au retour de l'école. Mais la mère me racontait – avec une certaine fierté – que son fils avait déjà un comportement d'adolescent, troussant les jupes des jeunes filles, mettant sa tête dans l'entrejambe alors que le bain se préparait... L'enfant l'écoutait et gloussait en griffonnant des fusées meurtrières, des mitraillettes cracheuses de feu...

Lorsqu'il fut allongé sur le lit d'examen, je dis nettement :

— Il n'est absolument pas pubère, il ne présente aucun signe de puberté. C'est un petit garçon, pas du tout un adolescent.

Et je précisais à l'enfant, de manière audible aussi pour la mère :

— Tu vois, tu n'as pas du tout de poils, tes organes sont tout petits. Tu as encore du temps avant de devenir un homme comme ton père. Et les jeunes filles, tu les embêtes.

La plus déçue était certainement la mère, qui projetait ses désirs de puissance phallique, elle qui n'avait jamais vraiment accepté de ne pas être garçon. Le surinvestissement de son bébé en tant que personne sexuée depuis la petite enfance avait fait obligation au petit garçon de se servir de son pénis avant l'heure. En classe, il était catalogué comme agité, ses devoirs étaient sales, l'encre projetée entre les lignes de sa grosse écriture. Aucune psychologue ne parvenait à cadrer son attention. *La mère était rebelle à une quelconque régularité dans le suivi par un pédopsychiatre – ce n'était jamais le bon à ses yeux… Xavier avait été trop tôt préoccupé par le devoir de conquête assigné par sa mère. Je le reverrai adolescent déprimé, totalement introverti, absolument à l'inverse de son comportement enfant. Car plus la sexualité est de l'ordre d'un besoin quasi vital, plus elle peut être passionnelle, plus elle est aussi menaçante, la peur de l'échec empêchant progressivement toute relation avec autrui.*

Culture contre protection de l'enfance ?

En 2003, *Le Figaro* interrogeait Christian Jacob, alors ministre de la Famille :

— Les associations familiales, relayées par le CSA, déplorent la diffusion de films pornographiques à la télévision. Qu'en pensez-vous ?

— Le balancier est allé trop loin, répondait le ministre. La télé diffuse aujourd'hui 950 films par mois à caractère violent ou pornographique, c'est une dérive qu'il faut corriger. Or la réglementation existe. Appliquons-la : la directive européenne « Télévision sans frontières » prohibe la violence gratuite et la pornographie. La loi française doit appliquer ce principe essentiel de protection de l'enfance.

Le journaliste évoqua alors les résistances à prévoir, soulignant :

— Le ministre de la Culture, Jean-Jacques Aillagon, semble, lui, sceptique sur l'efficacité réelle d'une telle interdiction. Comment allez-vous accorder vos violons ?

Christian Jacob espérait avoir le droit pour lui :

— Jean-Jacques Aillagon ne va pas trancher seul cette question qui, certes, touche aux intérêts économiques des chaînes et des producteurs, mais concerne aussi une matière humaine extrêmement sensible : les enfants et les ados. L'application du droit est une mesure simple, cela permettra d'éviter que le jeune public tombe, à la télé, sur des images que l'on sait perturbantes et toxiques à l'âge où se construit l'identité sexuelle.

Il avait alors le soutien du président du CSA, Dominique Baudis. Mais, bien sûr, tout le monde dut reculer, dans une confusion entre censure et protection de l'enfance. On peut parfaitement continuer à produire et à diffuser les films interdits d'antenne en salles, en vidéo… Les adultes, eux, peuvent acheter des cassettes et aller au cinéma. La possibilité qu'ont les enfants d'accéder au porno par les enregistrements amateurs, les vidéos du commerce, les DVD, Internet… sert de prétexte à diffuser n'importe quoi sur les chaînes hertziennes. Pourtant « la télé, soutenait encore le ministre, est dans tous les foyers, et même, de plus en plus, dans toutes les pièces ! Aujourd'hui, on s'aperçoit que la moitié des enfants, à onze ans, ont déjà vu un film porno. Ce n'est pas un petit problème marginal, ni un débat réservé aux ligues de vertu. Agir sur la télé, c'est agir fort, parce que c'est le média dominant. Il y a une responsabilité publique, il s'agit de la reconnaître ».

Après avoir invoqué l'horreur de la censure, l'excuse des autres agressions pornographiques, le journaliste demanda si la responsabilité n'incombait pas plutôt aux parents, premiers responsables de l'éducation des enfants.

— Naturellement, répondit le ministre. Mais les chaînes de télévision ne peuvent pas en tirer argument pour diffuser des films porno en se fichant du reste, c'est très choquant !

Oui, la pornographie nuit à l'épanouissement de nos enfants. Tant que le débat restera prétendument culturel, mais surtout commercial, il sera difficile d'espérer une télévision respectueuse de leur innocence. Il faut donc que les parents soient vigilants :

— en ne s'abonnant pas aux chaînes diffusant des films pornographiques (ne comptez pas trop sur le codage, et même double codage, qui est vite déjoué par les enfants) ;

— en apprenant à votre enfant qu'il faut être maître de la télévision en choisissant ses programmes et en respectant les signalétiques ;

— en n'installant pas de téléviseur dans la chambre de votre enfant ;

— en équipant votre accès Internet d'un contrôle parental efficace, protégeant des incursions par les pédophiles.

— en écoutant les programmes de radio dans lesquels il s'isole le soir, appelant « musique » des borborygmes d'animateurs qui déversent des torrents de violences scatologiques et d'insultes aux femmes, ignorant insolemment les interpellations du CSA.

Cette attention au respect que l'on doit à votre enfant doit être mise en œuvre dès la petite enfance pour que votre enfant ait accès à la culture grâce à ces merveilleux outils modernes sans que son imaginaire soit pollué par des images violentes.

Plus l'enfant est serein lorsqu'il entre dans l'adolescence, plus il a été laissé en paix quant à sa sexualité infantile immature, et plus son attraction amoureuse et sexuelle pour l'autre se fera dans le calme et la tendresse. Il ne la craindra pas alors comme aliénante et dangereuse pour son équilibre psychique. « Cette situation exemplaire de l'adolescence met l'accent sur le lien étroit qui existe entre ce qui est de l'ordre de la sexualité et ce qui est de l'ordre du narcissisme, dans le sens non pas de la défense narcissique, mais de l'équilibre narcissique, autrement dit de l'estime de soi[21]. »

5

Une éducation plus sexuée que jamais

Hypersexuation

L'éducation du premier âge n'a jamais été aussi sexuée : les grandes surfaces disent incontournables les gondoles distinctes, pour filles avec poupées Corolle à materner, et Barbie avec colifichets ; pour garçons, robots, monstres et jeux vidéo meurtriers.

La layette a remis au goût du jour le rose et le bleu, accentuant encore la différence avec cœurs, fleurs et dentelles pour les bébés filles comme on n'en voyait pas même lorsque les miennes étaient bébés, il y a trente ans…

Si les livres ne nous disent plus que « papa lit pendant que maman coud », les héros n'en sont pas moins presque toujours masculins ; et les rôles restent très sexués, la mère en infirmière ou en maîtresse, le père en conquérant.

Le même courant se retrouve à la sortie des collèges : il y a vingt ans, les jeunes filles choisissaient des tenues minimalistes unisexes, c'était la gloire d'Agnès B. avec ses sobres cardigans portés comme un uniforme, et de Weston ou de ses copies de mocassins masculins pour tous. C'était l'époque où Élisabeth Badinter écrivait : « [Certains] verront dans l'unisexisme la voie royale vers la bisexualité, ou la complétude si longtemps rêvée par les hommes… Après tout, pourquoi l'homme et la femme de demain ne recréeraient-ils pas ce paradis perdu ? Qui peut affirmer que le désordre nouveau engendré par la confusion des rôles ne sera pas l'origine d'un nouvel ordre, plus riche et moins contraignant[22] ? » Le refus du « berceau, fourneau, dodo », sous la dépendance de l'homme, au profit du « liberté, maternité, sororité », se voulait un juste combat pour libérer la femme de l'asservissement des tâches domestiques, et absolument pas, comme ont voulu le faire croire les machistes effrayés, une valorisation de l'homosexualité.

Les parents n'ont pas semblé convaincus des bienfaits de cet ordre nouveau. Cette androgynie unitaire a été évoquée par M. Righini, pour la rejeter : « Si j'avais parcouru [cette voie] jusqu'au bout, je me retrouverais aujourd'hui un être indifférencié, à l'apparence et au comportement unisexe, pas tout à fait homme et déjà plus femme… dépouillée de mon identité de femme, je serais un produit conforme dans un bain de culture uniforme, où s'ébattent des individus homogénéisés, banalisés, neutralisés, toutes différences annulées et tous sexes confondus. Plongée dans l'indifférence, pour avoir nié ma différence. Je me serais laissé désexualiser, comme d'autres se sont laissé déraciner. Au nom de quoi ? De ce que tu appelles l'universalisme. Et qui n'est que la réduction à un unique modèle, le tien[23]. »

Aujourd'hui, stupéfaction pour ces féministes de la première heure : les filles ont le nombril à l'air et les garçons des chemises qui tombent bas ; les filles effrangent leurs jeans et les constellent de paillettes tandis que les garçons les portent totalement déstructurés sur des chaussures délacées, style mauvais garçon. L'unisexe a fait place au vêtement hypersexué : séduction pour les unes, violence pour les autres.

Les bébés stars

Les petites filles ont toujours déambulé les pieds dans les souliers à hauts talons de leur mère, son sac au bras. Mais ce mimétisme disparaît habituellement vers quatre ans et ne renaît, sous une forme sexuée, qu'à la puberté. Or, aujourd'hui, les petites filles sont encouragées par les émissions de télévision à s'habiller de façon provocante dès cinq ou six ans. Elles n'y voient aucune démarche sexuée. À cet âge, elles ne se préoccupent que de la valeur esthétique permettant de rendre envieuses les autres filles ou de se faire admettre dans leur groupe, et non du regard des garçons. Il ne faut donc pas y voir danger, du moins tant que ces déguisements gardent un caractère festif entre les murs de la maison ou dans le petit cercle d'amies. Françoise Dolto voyait déjà poindre ce phénomène dans les années 1970 : « De nos jours, la contamination exercée par le style "vedette" joue un rôle formateur incontestable sur les filles de moins de quatorze ans. Les vedettes sont le support mythique d'un idéal du moi… sans résonance incestueuse, donc rassurant. Cette survalorisation de l'image donnée de soi à autrui, et les grands efforts en ce sens qu'elle demande chez certaines jeunes filles, ont aussi pour effet de provoquer la rivalité avec les autres filles, édition différente du même modèle (sœurs extra-familiales) ; après des couplages homosexuels latents, cette survalorisation entraîne des rivalités sexuelles et hétérosexuelles sublimées, la formation de bandes de jeunes qui socialisent la sexualité[24]. »

Si les féministes des années 1960 gardent la hantise d'un développement féminin « traditionnel », les parents d'aujourd'hui jouent l'éducation sexuée sans complexes. D'abord parce qu'il apparaît tout à fait possible dans notre société d'être féminine et indépendante à la fois ; mais aussi parce que, malgré une plus grande compréhension et une plus grande tolérance pour l'homosexualité, les parents espèrent pour leurs enfants, leurs questions en attestent, une sexualité qui sera moins compliquée à vivre. Ils veulent un enfant épanoui, et craignent que l'homosexualité ne favorise pas cet épanouissement. Dans une consultation de petite enfance, je n'ai jamais entendu personne me dire : « S'il est homosexuel je serai très content. » Ni même : « Pourquoi pas ? »

Il arrive souvent que des parents consultent à ce sujet, inquiets de voir leur garçon jouer à la poupée, mais beaucoup plus rarement parce que leur fille joue avec des robots. L'une sera flatteusement « garçon manqué », bien mieux acceptée que l'autre, qu'on dira « efféminé »… Ce n'est pas nécessairement une forme d'homophobie, mais plutôt l'idée qu'il sera plus difficile à leur enfant de s'épanouir s'il est homosexuel.

Lorsque le jeune adulte révèle son homosexualité, la tolérance est nettement plus grande aujourd'hui. Après une période de silence pendant laquelle les parents doivent faire leur deuil d'une certaine image de la famille, la plupart d'entre eux conçoivent que leur héritier pourra mieux développer ses talents particuliers dans l'acceptation de son homosexualité que dans le reniement par ses parents. C'est l'une des grandes évolutions sociales de ces vingt dernières années ; même si l'idée qu'un enfant épanoui est celui qui pourra s'accomplir dans une vie de famille procréatrice est plus que jamais celle des parents. Mais elle se complète après la puberté du fait que, la sexualité étant orientée, elle doit être respectée par les parents. Reste alors la question du deuil de la descendance, question certainement la plus douloureuse pour les parents, et pour les enfants, en atteste leur combat actuel pour l'homoparentalité.

6

Peut-on être épanoui avec des parents de même sexe ?

Je suis de ceux qui pensent qu'il y a alors une difficulté d'identification. « L'identité se construit dans la confrontation de l'identique et de l'altérité, de la similitude et de la différence[25]. » Lorsque, en plein œdipe, je me glisse dans le lit de maman le matin, avec mon biberon chocolaté, je m'identifie comme fille – comme maman –, ou comme garçon – comme papa. La relation à mon propre sexe et à l'autre sexe est fondamentale dans cette quête d'identité. Comment savoir qui je suis si les deux parents sont du même sexe ? Bien entendu, des parents homosexuels seront tout aussi capables d'aimer un enfant que les couples hétérosexuels. C'est pourquoi je pense qu'un statut de parrain ou marraine, substituts de parents, clair aux yeux de tous, pourrait être une solution. Les couples homosexuels me disent souvent qu'ils expliquent la vérité sur sa procréation à l'enfant qu'ils élèvent. Mais même lorsque c'est en effet le cas, il ne suffit pas de dire à un enfant qu'il est venu d'une éprouvette ou d'une insémination pour dire « le vrai » de la procréation. Sa représentation se construit au jour le jour, dans la vie avec un homme et une femme, images des parents procréateurs. Par contre, de nombreux enfants étant élevés par des couples homosexuels, le « parrainage », comme un prolongement du pacs, serait alors le plus honnête, apportant une identité affective et sociale à l'enfant comme aux parrains.

De nombreuses études sont invoquées, qui démontreraient que les enfants élevés par des parents homosexuels sont aussi épanouis que les autres. Mais toutes ces études mélangent les enfants adoptés tôt et élevés dès les premiers mois par un couple homosexuel, avec des enfants issus d'une première union hétérosexuelle, et ayant alors construit leur identité sexuée dans leurs premières années… Les deux situations n'ont selon moi rien de comparable. Il n'y a pas encore assez de recul sur les enfants élevés dès la naissance par des couples homosexuels.

De nombreux enfants sont aujourd'hui dans ce cas. J'ai été amenée à en suivre plus d'une dizaine. Leur évolution est très dépendante des secrets et des confusions qui règnent dans leur vie familiale. C'est vers dix-douze ans que leurs interrogations se font vives et que le malaise à répondre varie en fonction du couple qui les élève. Je pense urgent, pour leur épanouissement, de leur donner un statut. Ces enfants doivent être légalement parrainés par les homosexuels qui les élèvent, de façon transparente et déclarée. Il en va de leur bien-être psychologique. Les couples homosexuels auxquels cette proposition ne convient pas, car ils veulent se déclarer « parents », révèlent combien il s'agit plus pour eux de réparer leur stérilité que de permettre, grâce à la vérité publiée, l'épanouissement d'enfants qu'ils élèvent. La quête est la même pour les parents hétérosexuels qui adoptent, mais l'enfant peut alors fantasmer une scène primitive à l'origine de la procréation. Un petit cherché à l'école par ses parrains, ce serait la reconnaissance et l'officialisation par la société d'une situation particulière, reconnaissance bien plus forte qu'une similiparenté.

C'est dans l'acceptation par les homosexuels eux-mêmes de leur différence – ne pas être parents mais des parrains-marraines reconnus –, que les enfants peuvent s'épanouir. Margaret Mead écrivait déjà en 1928 dans *Coming of age in Samoa* : « Une civilisation comme la nôtre, qui admet la coexistence de plusieurs ordres de valeurs, offre une possibilité d'adaptation satisfaisante à des individus d'aspirations, de dons, et de tempéraments très divers. Lorsque les différents groupes de la communauté cesseront de proclamer la moralité de leurs causes respectives, lorsque chacun d'eux se contentera de recruter ceux qui, par tempérament, sont naturellement portés vers lui, alors se trouveront réalisées les conditions idéales de liberté et de tolérance auxquelles peut seule prétendre une civilisation hétérogène. »

IV

LE SAVOIR COMME UN SOLEIL

Pour votre enfant aux racines affectives bien nourries, à la sexualité infantile respectée, accéder au savoir est la condition même de l'épanouissement. À l'inverse, se rendre compte qu'il apprend moins vite que les autres – et les enfants ont une grande lucidité sur leurs compétences – et vous voir déçu par ses résultats est la plus grande des blessures.

1

Épanoui ou « éveillé ? »

Vous aimez imaginer votre enfant épanoui, mais vous apprécierez plutôt qu'on dise de votre bébé qu'il est « éveillé ». Toutes les couvertures de la presse parentale vous offrent le même standard, le rêve de tout parent aujourd'hui, le bébé qui vous fait envie.

D'abord les yeux. Des billes rondes qui vous regardent droit, vont à la rencontre de votre pensée, cherchent à communiquer, souvent bleus, de ce bleu transparent aux pupilles bien larges qui laisse presque voir la rétine, c'est-à-dire la seule partie du cerveau ouverte sur l'autre. Il est éveillé, pas endormi, ce bébé. Autour des yeux, bien sûr il est beau, rose, bien proportionné, ses petites lèvres ourlées. Mais tout est dans ce regard.

Ensuite, on décline : tapis d'éveil, jeux d'éveil, jardin d'éveil…

Puis on complète : tableau d'activités, DVD pour apprendre l'anglais, s'initier à la musique classique…

Même si vous ne tombez pas dans le piège des « universités prénatales » américaines qui apprennent déjà les bons auteurs aux fœtus, vous le voulez plus éveillé qu'épanoui. Comme si, à cet âge, il était automatiquement heureux, et que l'on pût sans danger stimuler ses neurones. Vous êtes fier si votre enfant marche à dix mois, fait des phrases à dix-huit et vous êtes de plus en plus nombreux à revendiquer l'école dès deux ans. Son épanouissement n'est pas encore votre souci, et si on le dit « en avance » vous êtes comblé. Alors que plus tard, à l'âge où l'enfant est capable de protester contre les devoirs du soir, nous verrons pointer le mot « épanoui ». L'idée qu'il soit premier à l'école vous indifférera au point qu'on ne proclame plus les classements, et le mot « précoce » vous fera même terriblement peur.

Pourquoi alors ce culte de l'éveil avant celui de l'épanouissement ? Parce que personne n'imagine un bébé malheureux d'apprendre. Et c'est vrai, son cerveau en plein développement est en quête insatiable de découvertes. Mais déjà, la moindre connotation négative, la moindre impatience devant ses hésitations, toute précipitation dans la méthode d'apprentissage peuvent anéantir son estime de soi. Il fermera alors les circuits que vous avez sollicités avec une trop grande ardeur, se disant : « Je ressens un malaise étrange quand maman me donne les lettres magnétiques, je les jette. » À trop vouloir l'éveiller, déjà, vous nuisez à son épanouissement.

Trop stimulé ?

Léane parlait couramment à deux ans. Sa mère était instituture. Elle avait collé des panneaux avec des mots simples écrits en gros sur le mur de sa chambre, s'inspirant de la méthode de Glen Doman, J'apprends à lire à mon bébé.

— Je ne la force pas, docteur. Elle aime apprendre les mots. Et elle aime la conversation. L'autre jour, nous avons déjeuné seules au restaurant, mes voisins de table sont venus nous voir à la fin du repas pour me demander son âge : ils étaient admiratifs, car nous avions si bien discuté.

Oui, Léane se devait d'être une enfant éveillée, une institutrice voit tant de petits en difficulté qu'elle s'était juré de bien préparer sa fille. Léane s'habitua vite à faire l'admiration générale ; elle gagnait des concours de poèmes à la radio du coin, lisait Proust à treize ans. Mais quand la puberté vint, avec la beauté en plus, sa précocité affola ses parents. Ils firent alors un virage éducatif à 180°, et les interdictions de sortir déprimèrent la jeune fille habituée à être portée aux nues. Elle mit alors toute son énergie mentale à s'opposer. Grève des études, vie nocturne endiablée, fréquentations inquiétantes, départ pour l'étranger : elle interposa le plus de barrières possible entre elle et ses parents. Revoyant sa mère à l'occasion de la naissance d'un neveu, je compris qu'elle était brisée.

Elle avait réfléchi trop tard, tant son « programme » pour ce premier enfant lui avait paru être le bon.

On pourrait en conclure que cette enfant a été « trop stimulée » et qu'il ne faut pas prendre les petits pour des « singes savants ». Mais c'est trop simpliste. Il est merveilleux qu'une mère aime transmettre le savoir à son enfant, il faut simplement respecter deux conditions essentielles :

— ne pas vouloir l'enfant trop docile, sans aucun intervalle de pensée créative personnelle. Nous verrons l'importance de l'alternance entre jeux, moments de partage ; et activités solitaires, moments de rêve ;

— accepter que l'enfant éveillé à deux ans devienne précoce en classe mais aussi au cours de son développement, précoce socialement, avec un appétit pour les rencontres, les sorties, le téléphone, et supporter donc toutes les inquiétudes parentales qui en découlent.

Car nous allons voir que la voie est étroite, entre surstimulation et réponse insuffisante aux besoins de l'enfant.

Les mots

Dès ses premiers jours, la parole de sa mère est, parmi toutes celles qu'il peut recevoir, la stimulation la plus importante, celle qui lui donne la conscience de soi. Il est programmé pour capter votre voix de préférence à toute autre, adopter votre mélodie, votre accent, le sens que vous, sa mère, vous donnez aux mots. Il ne faudra pas deux ans pour qu'il comprenne très bien sa langue maternelle et commence à faire de petites phrases. Le pédiatre Julien Cohen-Solal vous défie : « Essayez, à vingt-cinq ans, d'apprendre une langue en deux ans et trois mois, et de la maîtriser aussi bien que le petit enfant ! Il a une incroyable capacité à intégrer les choses. »

C'est par les commentaires que vous faites sur lui et sur la vie autour qu'il acquiert progressivement la conscience de soi, qu'il apprend à concevoir l'altérité. Soutenant l'activité de la pensée, le langage consolide l'idée que l'individu a de sa propre existence. « Se sentir penser, c'est quelque chose qui favorise la continuité du sentiment d'exister[26]. » Car au début, un bébé croit qu'il ne fait qu'un avec sa mère et ne pleure pas lorsqu'elle s'éloigne. Ce n'est que vers sept mois, nous l'avons vu, qu'il réalise son individuation en attrapant ses pieds : il découvre qu'il est un être à part, fini. Il a peur dès que sa mère sort de son champ visuel, peur de la solitude effrayante alors qu'il est si dépendant non seulement pour le moindre de ses besoins, mais aussi pour comprendre cet immense univers dans lequel il se trouve. C'est vous, lâché dans la galaxie.

Pour pouvoir se séparer sereinement, il faut d'abord qu'il arrive à se représenter psychologiquement sa maman, dans sa pensée, à réaliser qu'elle n'est pas là, mais en se sentant néanmoins protégé par elle, dans la conscience qu'elle existe et veille sur lui-même pendant ses absences.

Et ces représentations mentales ont un soutien : le langage.

Il faut donc lui parler pour l'épanouir. Pour devenir rapidement un expert dans sa langue maternelle, il faut que votre bébé ait eu l'occasion de faire toute une suite d'opérations intellectuelles :

— d'abord entendre les sons (par exemple « le camion »), ce qui suppose d'avoir une bonne audition (donc d'être bien traité en cas d'otite, or les bilans de santé publique montrent qu'à quatre ans un enfant sur cinq a un déficit auditif !) ;

— de les fixer dans la zone appropriée de son cerveau, ce qui suppose une bonne trame de ses circuits neuronaux ;

— ces circuits doivent se connecter à ceux de la pensée pour faire correspondre au mot entendu une image mentale (votre enfant imagine un camion) ;

— il transporte alors l'information dans l'aire cérébrale où elle sera mise en mémoire ;

— puis il doit pouvoir rappeler le mot à sa conscience lorsqu'il prend son camion ;

— et enfin parvenir à prononcer « mion ».

Quel exploit !

C'est le moment de vous esbaudir, et non de corriger sa prononciation ! Rien n'est plus important pour un enfant que de voir le succès de ses tentatives à travers le regard admiratif de ses parents.

Mais tout ne dépend pas de lui seul. Vous devez être le réalisateur d'une bonne mise en scène. Car pour réussir une telle prouesse en à peine douze mois, il faut tout autant de circonstances extérieures concordantes :

— le bébé doit être immergé dans un bain langagier (dans votre langue maternelle, car on ne transmet bien que ce qui nous vient du cœur et de notre propre enfance) ;

— plus il est petit, plus son parent ou son substitut maternel, nounou, auxiliaire de crèche, mamie... doit s'adresser personnellement à lui ;

— il faut être suffisamment attentif pour lui parler de ce qui l'intéresse au moment où cela l'intéresse (le camion quand il y joue) ;

— il doit percevoir un ton affectueux et riche en intonations accordées avec ses programmes innés de perception, ce ton que prend spontanément une mère pour s'adresser à son bébé, le *baby-talk* des Anglo-Saxons. Si vous parlez comme un professeur à un nourrisson, vous le mettez mal à l'aise, et il préfère éviter de parler – c'est trop étrange ;

— les répétitions, comme en chantent les comptines, comme en montre la série culte des Télé-tubbies, permettent de mieux fixer le mot dans sa mémoire ;

— votre incitation à dire le mot doit arriver au bon moment pour le bébé (par exemple juste lorsque le camion l'intéresse) ;

— vous ne devez jamais risquer le sentiment d'échec : si le bébé n'est pas prêt à pouvoir dire le mot, le lui demander le conduira à bloquer sur l'émission de ce mot pendant des mois ;

— et manifester un grand enthousiasme lorsque le bébé parvient à dire le mot (« Oui ! super ! c'est un camion ! »).

La « spirale des interactions ». Lorsque vous échangez et jouez avec votre enfant, c'est une véritable « spirale des interactions » qui se déroule dans le temps : c'est ainsi que les spécialistes appellent cette alternance de signaux provenant de la mère et de l'enfant. La mère est généralement la personne la plus spontanément stimulante, c'est pourquoi la première langue parlée est toujours la langue maternelle. Le personnel de crèche doit faire des efforts pour, malgré le nombre d'enfants qui lui sont confiés, consacrer à chaque bébé le même temps qu'une mère s'occupant de son propre enfant. C'est difficile. J'ai ainsi vu du personnel me dire préférer acquérir pour la crèche une grande maison pour que les enfants puissent s'y ébattre, plutôt qu'une maison de poupées, car, dans celle-ci, il fallait partager le jeu des petits et inventer des saynètes entre les personnages, ce qui prenait infiniment plus de temps. Mais cela fait partie du métier et les puéricultrices qui en trouvent le temps et le goût doivent être remarquées. De même, être nounou demande un véritable effort, car il faut être réceptive aux signaux d'un nourrisson dont on sait qu'on ne le verra pas grandir. Voilà pourquoi il faut honorer les personnes qui s'occupent bien de vos enfants, ce sont des métiers d'abnégation.

Mais il y a peu de situations idéales. Il y a des mères plus ou moins communicantes avec leur nourrisson. On a étudié les comportements de mères avec leur enfant en filmant longuement les séances de jeu maman-bébé vers neuf à douze mois, puis à cinq ans. Il en ressort que :

— Certaines mères ont un plaisir et un talent spontané pour attirer l'attention de leur bébé, pour lui dire des paroles qui le concernent, pour adopter des stratégies encourageant la production de mots.

— D'autres mères sont plus distraites, accaparées par leurs préoccupations, et ne prennent pas « au vol » les essais de babillages signifiants.

Lorsqu'on teste les enfants à cinq ans, ceux du premier groupe ont un langage beaucoup plus riche et structuré que ceux du second groupe.

L'école à deux ans, une fausse bonne idée[27]. L'inscrire en maternelle à deux ans pour en faire un enfant épanoui, parlant bien, sociable ? Attention. Bien des parents dont le petit parle peu à deux ans et demi attendent avec impatience l'entrée à la maternelle en se disant que l'école fera parler l'enfant, et tout un courant se dessine aujourd'hui en faveur de l'école dès deux ans. Les raisons en sont malheureusement plus souvent économiques qu'éducatives :

— le « mammouth » qu'est l'Éducation nationale aime créer des postes. La scolarisation des tout-petits évite des fermetures de classes…

— L'accueil des moins de trois ans coûte cher aux municipalités. Lorsqu'elles peuvent se défausser sur l'Éducation nationale, elles n'hésitent pas.

— Et vous aussi, parents, voyez votre budget bien allégé dès que l'école accueille votre enfant. Certes, vous voulez d'abord l'épanouir, mais puisque des institutions officielles comme l'État et la ville vous encouragent à scolariser votre petit à peine sorti de ses Pampers...

La scolarisation trop précoce est pourtant néfaste, du moins dans les conditions proposées par nos écoles, qui n'ont plus grand-chose de maternelles. Geneviève Haag, pédopsychiatre qui a été pendant des années en charge de centres médico-psycho-pédagogiques travaillant avec les écoles, prévient contre les dangers à plonger l'enfant encore en quête de son identité dans un groupe de vingt à trente élèves : « La troisième année est l'achèvement d'un cycle de développement qui va de la naissance à l'acquisition du "je", c'est-à-dire à celle d'une autonomie dans le sentiment de séparation corporelle et identitaire. » Ce n'est qu'à trois ans que l'on commence à savoir qui l'on est, individu séparé de l'autre. Et Geneviève Haag de mettre en garde contre la scolarisation précoce avec « risques d'inhibition, de solitude et de conduites agressives qui peuvent aller jusqu'à accroître dans la société les chances de violence ».

Et même si votre enfant ne montre pas toujours des signes extérieurs de trouble, mon expérience rejoint tout à fait l'observation de Robert Mises, professeur émérite de pédopsychiatrie à l'université Paris-Sud, selon laquelle c'est à l'adolescence que les dégâts peuvent se révéler, chez un enfant poussé dès deux ans dans l'univers de l'école : « Des phases décisives de son histoire ne sont pas franchies et il va se retrouver gravement menacé par les remaniements inéluctables qu'introduit l'adolescence. »

Quant à croire que l'on va favoriser le langage par la scolarisation précoce, le linguiste Alain Bentolila livre ses conclusions : « Les enfants scolarisés trop tôt ont un handicap linguistique à leur entrée au CP : ils disposent de 300 à 350 mots au lieu de 900 à 1 000, il n'est donc pas question pour eux d'entrer dans l'apprentissage de la lecture. » Sombre bilan d'une scolarisation précoce qui touche déjà un petit

Français sur trois ! Bien sûr, il y a des écoles maternelles à petits effectifs, où un enfant n'ira que trois heures par jour, avec une maîtresse chaleureuse, une assistante très présente, une vraie ouverture aux parents. Mais combien de parents recourent à l'école comme un substitut gratuit du mode de garde, déposant un tout-petit avant de partir au travail, le laissant à la cantine, et encore le soir en garderie jusqu'à 18 heures ! Non. Ne comptez pas dans ces conditions sur l'école pour épanouir le langage de votre enfant, surtout s'il présente déjà un retard dans sa troisième année. Ce sont au contraire les plus dégourdis au plan linguistique qui bénéficieront des paroles de la maîtresse. Les autres, au milieu de vingt-cinq petits, se battent et se dépensent physiquement, et deviennent plus agressifs que parleurs...

Si votre enfant a un langage pauvre, si vous le trouvez en retard par rapport à son cousin par exemple, ne lui mettez pas une pression de tous les instants pour faire sortir les mots de sa bouche. Vous réagissez alors plus par amour-propre que dans son intérêt véritable. Réfléchissez plutôt à l'atmosphère dans laquelle il est élevé, consacrez-lui plus de moments seul à seul, et n'hésitez pas à faire un bilan chez le pédiatre. En améliorant les échanges linguistiques autour de lui, vous verrez son langage se développer. De nombreux parents me disent : « C'est fou, les progrès qu'il a faits pendant les vacances ! » Mais le temps des vacances ne suffit pas pour faire monter la sève de sa pensée : son langage. C'est la constance de votre présence, ou d'un substitut attentif et communiquant, qui le fera progresser ainsi. Loin de moi l'idée que vous arrêtiez de travailler, mais vous, et votre enfant, méritez une aide de choix.

Faut-il pour autant « tout » lui dire ? De nombreux parents « soûlent » leurs petits de paroles qui laissent en fait peu de place à ses propres centres d'intérêt. De même, ils leur révèlent des secrets mal analysés, brouillant la perception affective que l'enfant a de la vie. Au fil de sa croissance, votre enfant risque de prendre l'habitude de chercher à tout négocier, ou s'enfermera dans de fausses vérités sur vous, sur son entourage. Mettre trop de mots, trop précis et trop tôt, est un danger pour son développement autant que pour votre autorité.

En prenant garde aux messages que vous lui faites p1 asser au cours de ses premières années, vous l'aidez, progressivement, à prendre conscience de ce qui est vous, de ce qui est lui. Il construit une image positive de lui-même grâce à des modèles parentaux gratifiants et disponibles, lui permettant de se concevoir comme un être digne d'affection et d'attention.

Les jouets, outils de l'épanouissement ?

Dès sa naissance, vous dévalisez avec gourmandise les jardins d'éveil et les Toys'R'Us de votre ville, émerveillé par les tableaux d'activités, véritables encyclopédies du bébé, les tapis d'éveil supposés lui proposer des découvertes alors même qu'il ne tient pas encore assis. Et lorsque, ses six mois atteints, il prend les jouets, les examine, les jette, vous êtes attendri ; et vous cherchez, cherchez encore, le jouet qui le ravira en le stimulant. « Y a pas de piles ! » fut le premier mot de Fleur, avant « maman » et « papa »… Nous n'avions pas réalisé à quel point tous ses jouets de bébé étaient bourrés d'électronique, déjà !

En même temps, on assiste au retour en force de Babar, de la famille Barbapa et de Jeannot Lapin, qui vous plongent dans la nostalgie de votre propre enfance. Et – espérez-vous – joueront le rôle de doudou, cet « objet transitionnel », comme vous l'avez toutes lu, qui vous permettra d'aller et venir sans que votre bébé se sente seul. Mais sachez-le, votre enfant n'adoptera généralement pas le petit animal fétiche que vous aviez programmé comme doudou. On n'a jamais remplacé une maman par une puce électronique ! Les jouets qui parlent, qui chantent, qui comptent vous tendent pourtant cette perche, même si personne ne l'avoue. Mais ces jouets ne sont qu'un matériel à communiquer… avec vous !

Un enfant comblé de jouets sera-t-il plus épanoui ? « Il ne sait pas jouer tout seul ! » est l'une de vos complaintes les plus fréquentes. Car lorsque vous achetez un jouet à multifonctions, vous espérez peu ou prou que les boutons magiques, par l'interactivité qu'ils proposent, vous dispenseront d'un effort d'imagination à la hauteur de la demande du cerveau enfantin. Mais les poupées qui tètent, marchent et pleurent, et les claviers qui disent de leur voix étrange couleurs et chiffres n'empêchent pas votre enfant d'exiger votre présence quasi constante dans sa chambre. « Aucun produit ne remplacera jamais un parent », me disait récemment Björn.

Mais c'est certain, votre ravissement et votre retombée en enfance sont de bon augure... si le jouet est un médiateur entre votre enfant et vous, un prétexte à partager, une source d'échanges. Certainement pas un alibi pour démissionner de votre terrible rôle de parent, au premier âge : jouer avec bébé, lui parler, partager ses découvertes, nourrir son jeu de langage, alimenter sa pensée d'images mentales qui empliront ensuite son imaginaire, lorsque vous ne serez pas là. Si vous inventez des aventures toutes simples avec son lapin, qui tombe, se cogne, pleure, que l'on console, qui se cache... vos échanges valent bien mieux que toutes les histoires froidement débitées par ses programmes électroniques. Bien sûr, les demandes d'un jeune enfant sont épuisantes, mais c'est pour la bonne cause : le branchement de sa trame psychique. Tant pis pour la fatigue. Et bienvenue aux relais, pères, grands-mères, marraines et bonnes nounous ! Alors, lorsque vous me dites qu'il ne sait pas jouer tout seul, dès lors qu'il a moins de trois ans, je m'en réjouis, cela veut dire que vous êtes un parent passionnant !

Ne risquez-vous pas la surstimulation ? Il y a des chambres d'enfants où l'on peut à peine marcher, votre salon est envahi par le parc devenu coffre à jouets... mais il en faut toujours plus pour l'occuper... Pourquoi ? Parce que la vie des bébés en ville est artificielle. J'ai vécu dans des conditions primitives ou, comme on dirait aujourd'hui, « premières », c'est-à-dire sous mes chers Tropiques, en Océanie : là-bas, les petits peuvent courir librement, sans être engoncés dans des tenues de cosmonautes, et jouer avec tant de merveilles qui s'offrent à leur incessante curiosité : escargots et chenilles, fleurs et cailloux, branches et creux dans les arbres. Les tribus comprennent de nombreux enfants mais les mères, tantes, sœurs et grands-mères ne sont jamais loin. S'aventurer sans quitter sa « base affective de sécurité », voilà la condition idéale au développement des tout-petits.

Alors, faute d'une telle liberté, nous inventons des jouets qui réservent aussi des surprises, qui se métamorphosent comme la chenille en papillon, qui surprennent comme le chien qui jappe, qui chatouillent comme la coccinelle sur votre bras. C'est ce monde vivant et surprenant que nous tentons de reproduire pour émerveiller nos enfants. Encore faut-il rester dans des stimulations naturelles, ne pas l'agresser par des couleurs trop criardes et des rythmes déstructurés. Mozart doit sa position de préféré des enfants à l'harmonie exceptionnelle de ses mélodies, proches, justement, du chant du rossignol...

Les enfants d'aujourd'hui ont-ils trop de jouets ?

— Non, si vous jouez avec votre enfant.

— Non, si vous les rangez par ordre et les classez en familles, cultivant l'esprit logique qui lui sera précieux en mathématiques.

— Non, si vous ôtez de sa vue ceux qui ne l'intéressent plus, pour les proposer de nouveau aux étapes ultérieures de son développement.

— Oui, si vous le laissez dans un fatras d'objets en lui intimant : « Mais essaie donc de jouer tout seul ! »

— Oui, si vous lui demandez avant cinq ans de ranger sa chambre, et finissez, en désespoir de cause, par tout entasser en vrac dans quelques tiroirs sans affectation précise.

Il faut choisir des jouets favorisant la liberté de l'imagination. Ils ne doivent pas être trop enfermés dans leur programmation. La valeur symbolique d'évocation et de suggestion du jouet doit dépasser sa valeur réaliste et utilitaire. Si vous avez bien choisi ses jouets, si vous les avez peuplés d'histoire et d'émotions, vers trois ans, comme par magie, votre enfant deviendra incroyablement tranquille. Il est maintenant capable d'inventer ses propres histoires, ses compagnons imaginaires dotés de pouvoirs surnaturels qui peuvent expérimenter à sa place, sans risques, les actions défendues. Au lieu de franchir les interdits, il peut les fantasmer avec ses jeux, respectant les limites dans la vie réelle. Cette dichotomie entre fantasme et réalité est indispensable à l'épanouissement de l'individu.

Les jouets conditionnent-ils nos enfants à se conformer à des stéréotypes ? Le jouet, en aidant à faire émerger la notion de norme, est, de la même façon, modèle culturel. Il offre en effet à l'enfant les modèles pour vivre, parler, penser, aimer, qui sont ceux de la société dans laquelle il est appelé à grandir. Les petites filles y apprennent à être des femmes, les garçons à être des hommes, de façon plus que jamais stéréotypée, les étalagistes comme les fabricants des catalogues faisant état de la pression des enfants et des parents. Nous avons vu comment les jouets étaient sexués, aujourd'hui encore plus qu'hier, avec les rayons roses, fleuris de cœurs, de poupées tendres et de cuisines équipées pour les filles, tandis que les rayons pour garçons débordent de superguerriers... Dotés de plusieurs vies dans les jeux vidéo, munis de pouvoirs sans limites, les héros sont également d'une force physique et psychique surnaturelle, ils n'échouent jamais et triomphent de tous, ennemis et même amis. Certains enfants, fascinés par ces thèmes, soit se sentent « nuls » et se découragent car ils ne sont pas aussi rapides que leurs camarades, soit collent aux stéréotypes omniprésents, se bloquant ainsi aux rêves de leurs trois ans, ceux de la toute-puissance. Or il faut sortir de cette illusion. C'est pourquoi les jeux vidéo ne sont compatibles avec l'épanouissement de l'enfant qu'à petite dose, contrôlés et partagés par les parents.

Le jouet permet à l'enfant de maîtriser, de façon symbolique certes, le monde physique et le monde social. Mais surtout il est un médiateur par lequel peuvent s'opérer les représentations imaginaires, les identifications multiples, les transferts de sentiments. « Je suis la princesse, je me pique et je m'endors. Alors toi, tu es le prince charmant qui me réveille. » « Recommence ! » demande la petite fille qui joue avec l'idée que la mort est réversible. « En tant que support des jeux symboliques, le jouet permet à l'enfant de dépasser ses impuissances, de confirmer ses aptitudes, de se confirmer comme garçon ou fille, de construire sa visée de dépassement[28]. »

Encore faut-il que vous alterniez les temps où vous jouez avec l'enfant et les temps où vous sentez que sa pensée a besoin de flotter au gré de son imaginaire. Ce qui demande une grande disponibilité. C'est pour cela qu'il faut tout un village pour élever un enfant, et aujourd'hui des villes, des quartiers dotés de Maisons vertes, de ludothèques… Si peu de nos maires le comprennent !

La culture du « tout, tout de suite »

Le dernier « Ipod » ou le vêtement de marque, il vous turlupinera des semaines pour l'obtenir. C'est un acheteur compulsif, dans une idéologie de plaisir, d'immédiateté et de consumérisme, où l'avoir compte plus que l'être. Grandis dans des cités sans histoire, dans des familles recomposées où le passé est en miettes, les enfants d'aujourd'hui vivent le plus souvent dans le présent, et même dans l'urgence et sont capables de tout pour obtenir ce qu'ils veulent. Après avoir prôné l'attitude du dialogue avec votre enfant, les psys vous rappellent à l'autorité, cette radicalité qui permet aux adolescents de s'opposer plutôt que « rentrer dans du mou », comme dit Marcel Rufo qui prévient : « On a les ados qu'on mérite. Si les parents de bébés ont fait d'incroyables progrès, il reste à inventer les parents d'ados ! On n'est pas parents d'un enfant de trois ans comme d'un enfant de quatorze. » Aphorisme séduisant mais inefficace, et culpabilisant !

Quand on a quasiment exclu les parents du système scolaire, tenté les enfants par des publicités omniprésentes dans leurs propres programmes, hors décision parentale, fait dégringoler des liasses de friandises aux caisses des magasins à la hauteur de leurs yeux au moment où l'on sait le parent captif, quand les kiosques à journaux font briller sous les petites mirettes plus de jouets et de cassettes vidéo que de journaux pour leurs parents… demander soudain à ceux-ci de savoir dire « non » devant cette marée montante de consommation effrénée, c'est refuser de demander à la société de remplir son rôle, celui qui consiste à offrir aux enfants un univers respectant le pouvoir de décision des parents.

Mais comme vous ne referez pas la société, je vous conseille une double stratégie :

— Dire à votre enfant vos propres désirs : « Tu as raison, ce serait bien pour toi d'avoir ce sweat ; moi, j'aimerais aussi cette ceinture. Mais je ne peux pas, ce ne serait pas raisonnable en ce moment. J'attendrai. Et puis, tu sais, quand on attend un peu, on se rend compte que c'est autre chose qui nous serait nécessaire. C'est dommage pour le commerçant qui a perdu une vente. Mais enrichir le commerçant, ce n'est pas vraiment ton objectif ? »

— Budgétisez ses achats. Nous avons encore des réticences à parler argent avec nos enfants, mais alors nous ne les informons pas sur la gestion de son foyer, présente et future. Je connais une grande fratrie dont le père fut richissime mais qui dépensait tout son avoir pour les désirs immédiats de sa famille. Il pensait sa situation éternelle. Lorsqu'il fut ruiné, ses enfants montrèrent une attitude intransigeante envers sa générosité passée : « Nous, on ne savait pas ! Tu aurais dû nous empêcher de vivre sur un tel train ! » N'avaient-ils pas raison ? Osez donc parler d'argent, dire ce que représente un budget. Vous devez cette transparence à vos enfants. Mais, ensuite, vous devrez tenir vos engagements. Aussi, ne soyez pas trop dépensier au départ. Il est difficile de réduire un train de vie quand on aime ceux auxquels on l'a permis…

2

Réussite ou épanouissement ? L'école

Je constate un terrible décalage entre vos aspirations pour votre enfant et ce à quoi le système scolaire français va vous contraindre. En France, l'école, parce qu'elle est une machine à exclure plutôt qu'à former, est un milieu à hauts risques.

L'école française donne-t-elle confiance en soi ?

Votre enfant doit être aimé et estimé pour penser. À la fois aimé, et estimé. Intelligence, affectivité et sentiment de valeur personnelle sont indissociables, et les modalités de leurs interactions sont multiples. Les rapports entre intelligence et affectivité sont malheureusement loin d'être clairs aux yeux des maîtres. Les institutions scolaires prennent peu en compte les aspirations de votre enfant, ses besoins d'accomplissement, de créativité, d'autonomie. Qu'un enfant qui pleure de chagrin en quittant sa mère le matin ne puisse être disponible pour apprendre n'est pas évident pour l'école, qui se protège, plan « vigipirate » accentuant encore le phénomène, de l'intrusion des parents.

— *Je vous appelle car je ne sais comment faire : Lucas pleure tous les matins depuis un mois en entrant à l'école.*
— *C'est sa première année de maternelle ?*
— *Oui. J'ai pensé qu'il allait s'habituer, mais il pleure toute la matinée, et voilà un mois que ça dure !*
— *Et pourquoi le laissez-vous ? L'école maternelle n'est pas obligatoire.*

— *Tout le monde me dit que je le couve trop, qu'il va se socialiser à l'école...*

— *Se socialiser avec des heures de pleurs quotidiens depuis un mois ? Je ne pense pas que ce soit le meilleur moyen de découvrir la société !*

J'avais pourtant le souvenir d'un enfant épanoui, très sociable lorsqu'il est à mon cabinet, se séparant facilement de sa mère pendant l'entretien pour aller jouer dans la salle d'attente, et se laissant examiner avec le sourire. Pas sociable, Lucas ?

— *La maîtresse dit que je m'en occupe trop... Alors j'ai vraiment insisté. Mais, aujourd'hui, je vous appelle parce que j'ai un doute. Lorsque je suis venue le chercher à midi, il pleurait toujours, et la maîtresse lui a dit devant moi : « Je t'ai prévenu, Lucas ! Si tu continues de pleurer ainsi, ta maman ne viendra pas te chercher ! » On doit vraiment dire ça aux enfants ?*

Cette histoire est authentique, mais il est rare bien sûr qu'une enseignante, même excédée, réagisse ainsi. Chacun sait qu'il est absurde d'ajouter l'angoisse à l'angoisse. Mais, tout en dénonçant l'excès du propos, la pensée exprimée est aujourd'hui commune que la mère doit être bien fusionnelle en effet pour que Lucas réagisse ainsi, et qu'il serait temps de « couper le cordon ». Même si les mots ne tombent pas souvent comme un tel couperet, l'idéologie de la séparation fait son œuvre. Au point même que la mère doute d'elle-même et a besoin de mon avis...

— Il faut faire cesser cette situation absurde. Soit retirer totalement Lucas de l'école (je sais la mère très entourée à la maison), soit le changer d'établissement.

Car, dans un tel état d'angoisse, un enfant ne peut rien apprendre, l'intelligence se trouve véritablement écrasée sous le poids de l'affectivité. Et il y a très peu de chance, avec notre système, d'obtenir d'un directeur qu'il change simplement l'enfant de classe. Il aurait l'impression de désavouer l'enseignante et craindrait un effet boule de neige sur les autres parents.

La mère a suivi mon conseil puis trouvé une place dans une école privée du même quartier. On pourrait croire que, le problème venant d'elle, le comportement de Lucas serait identique. Or, du jour au lendemain, l'enfant fit « *Bye bye* » avec joie et ne se retourna même plus au départ de sa mère...

Il ne faut pas en déduire que la situation est vraiment différente entre système privé ou public. Les écoles privées ont autant d'élèves que les publiques, parfois plus. Le même rejet peut se produire en école privée. C'est plutôt la mentalité des enseignants qui est en jeu : leurs instituts de formation sont emprunts d'un jargon « psy » qui a remplacé les notions pédagogiques les plus élémentaires. Autrement dit, lorsqu'un enfant ne s'adapte pas, et plus tard lorsqu'il apprend mal, on n'incite pas l'enseignant à chercher en quoi sa pédagogie est mal adaptée, mais à imputer le problème à la famille. L'intrusion de l'école dans la vie familiale est telle que j'ai vu appeler le médecin de la DDASS pour des troubles pourtant déjà suivis par un pédopsychiatre, sans même avertir les parents, ni prendre conseil du praticien... Dans le même temps, on ne signale pas l'absence de nombreux enfants fantômes, qui permettent de gonfler les effectifs.

Il faut donc faire cesser cette idée que les grilles doivent se refermer brutalement sur les parents pour permettre l'épanouissement de l'enfant. En Suède, à l'âge de la maternelle, les enfants sont accueillis en *day-care-center* municipal (l'éducation n'est prise en charge par l'État qu'à partir de six ans), à raison d'un adulte pour sept petits. On est bien loin d'un professeur pour vingt-cinq, comme dans nos maternelles. Ces adultes, rémunérés par les mairies, sont des éducateurs de jeunes enfants et des professeurs. J'ai été frappée pendant que je visitais cette sorte de crèche-école à Stockholm, par les salles de classe auxquelles s'ajoutaient des salles de jeux, bien sûr, mais aussi des cuisines et des salons. Des parents étaient parmi les adultes.

À l'école encore, la sensation d'être aimé, de compter pour quelqu'un, est indispensable pour s'épanouir. Le développement de l'intelligence et l'accès aux connaissances ne s'épanouissent que si le sentiment de valeur personnelle a été pris en compte de façon adéquate. Sinon les ressources de l'intelligence sont mises au service d'une affectivité bloquée dans sa maturation et qui ne peut jamais être satisfaite.

Un surdoué peut-il être épanoui ?

Les bébés éveillés font la fierté de leurs parents. Tout le cercle familial est admiratif devant l'acquisition rapide et prématurée de nouvelles performances. Vous êtes fiers de voir votre bambin faire les marionnettes à dix mois. Quand, à quinze mois, il va chercher vos chaussures, vous le trouvez irrésistible, puis carrément génial, à dix-huit mois, quand il dit des mots compliqués, et vous admirez tout ce qu'il arrive à faire sans assistance, de sa propre initiative, comme un petit adulte.

Mais lorsqu'il se confirme être un enfant précoce, votre entourage apprécie moins : le voilà qui vous harcèle de « pourquoi » et « comment », n'aime pas jouer seul et reste sur vos genoux pendant le dîner. Car l'enfant précoce aime la compagnie des adultes. Son cerveau connecte ses circuits à grande vitesse, il cherche en permanence sa nourriture intellectuelle. À l'école, il finit son exercice avant les autres et interpelle le professeur qui lui demande d'être moins « bavard » et, bientôt, moins « insolent ».

Quand vous en venez à demander un bilan d'intelligence, avec son test de QI, vous le faites discrètement car c'est une démarche jugée négativement : « Voudriez-vous en faire un singe savant ? » Et si le test confirme qu'il est « intellectuellement précoce », vous venez consulter la mine pâle, comme si c'était une malédiction. Il y a eu tant de reportages sur l'impossibilité de s'épanouir lorsqu'on est surdoué, que la précocité n'a pas bonne presse... avec des commentaires terriblement négatifs. Ne parle-t-on pas d'enfants « dont on nous dit qu'ils sont adaptés parce qu'ils travaillent parfaitement bien à l'école, dont les parents sont ravis, mais dont on découvre qu'ils sont gravement névrosés[29] » ?

Je m'insurge contre ces discours. Avoir une vive intelligence est une grande chance. Il faut cesser d'en faire une pathologie. Ce qui complique la vie des enfants précoces, c'est l'ignorance de leur rapidité intellectuelle, la peur qu'elle déclenche chez les autres, un entourage familial jaloux, des professeurs désemparés, eux qui aiment bien l'enfant standard auquel ils pensent être plus utiles, des camarades cruels parce que lucides quant à l'atout dont dispose l'enfant précoce... si on ne l'abîme pas.

Encore faut-il dénoncer l'hypocrisie qui entoure la pratique des tests !

D'abord, on les accuse de n'être que des tests d'intelligence scolaire. Alfred Binet fut le premier à établir des grilles de concepts accessibles aux enfants selon leur âge. Le besoin s'en est imposé pour les enfants ayant des difficultés scolaires. Il fallait savoir si ces difficultés venaient de troubles de la compréhension ou d'autre chose. Ces grilles, depuis régulièrement perfectionnées, sont donc particulièrement adaptées pour évaluer les capacités de compréhension rationnelle, celles que l'école attend des enfants à chaque âge. La moyenne des individus est fixée au coefficient 100. Un enfant de sept ans qui comprend des concepts comme son camarade de dix ans aura un quotient de 140, c'est-à-dire qu'il est très intelligent, de cette intelligence-là, abstraite, rationnelle, scolaire. Un enfant qui ne comprendra pas ces concepts à douze ans aura un quotient inférieur : pas la peine de lui taper dessus en le traitant de paresseux pour le traîner, nonchalant, fuyant et déprimé, vers des études générales. Mieux vaudra lui apprendre un métier qui le valorise. Bien sûr, la passation du test peut être perturbée par des difficultés affectives bloquant l'enfant dans sa réflexion. Le bilan ne peut pas se faire sans une observation de l'enfant hors de son milieu, hors de ses racines affectives, comme si l'enfant pouvait exister « seul ». La séance est précédée d'un entretien avec les parents et le psychologue expert en « psychométrie » doit savoir dire : « En ce moment, cet enfant n'est pas testable. Il faut d'abord voir ses difficultés affectives. » Mais c'est justement l'un des atouts de cette passation que de révéler l'extrême interdépendance entre l'intelligence et l'affectivité.

L'autre hypocrisie concerne la remise des résultats. Il est de bon ton de ne pas donner le chiffre du quotient intellectuel, de peur de coller à l'enfant une « étiquette » qui lui serait préjudiciable. Ce souci est parfaitement respectable. Mais les parents attendent tout de même un éclairage sur la situation de leur enfant. Lorsque le testeur dit : « Votre enfant a une intelligence normale au lieu de "moyenne" », des parents intellectuels retiennent qu'il pourra faire les études générales qu'ils attendent de lui. Et dès lors, ils harcèleront l'enfant : « Tu vois, le bilan a montré que tu étais intelligent, donc tu peux y arriver ! » Or les facilités de compréhension ne sont pas les mêmes avec un QI de 140, qui permet en effet, sous condition de travail et d'équilibre affectif, de s'ouvrir les portes des grandes écoles, et un QI de 100 qui demandera d'autres ambitions. Et, même si vous dites : « Moi, vous savez… pourvu qu'il soit épanoui ! », vous n'êtes alors pas prêt à envisager une orientation – mot couperet pour la plupart des parents… et des enseignants ! Une conseillère d'orientation, à laquelle je parlais d'un lycée professionnel remarquable, offrant des filières intéressantes, me répondait : « Moi, j'estime que tous les enfants ont droit à la filière générale ! » Pour s'y perdre, multiplier les redoublements, se consoler par l'usage de psychotropes et sortir sans qualification ? Le consensus a beau se faire sur l'idée qu'il n'y a pas besoin d'être brillant, et que les gens brillants peuvent être malheureux, voire sont automatiquement malheureux, le bilan de son intelligence vous sera remis de façon hypocrite pour ne pas vous blesser.

Cette hypocrisie fait du tort à tous les enfants, y compris aux enfants précoces. Car lorsqu'on parle vaguement d'une intelligence « au-dessus de la moyenne », il peut s'agir d'un 110, qui n'a rien d'exceptionnel. Mais les parents comprendront « surdoué » et le proclameront. Les pédopsychiatres ont leurs cabinets pleins de ces faux surdoués. De là l'hostilité de Marcel Rufo au concept même de précocité.

Et pourtant, la vive intelligence existe bel et bien et c'est une grande chance. Elle doit être tôt reconnue et complétée d'une traduction du concept d'intelligence précoce vis-à-vis de l'enfant lui-même. Il faut lui expliquer qu'il s'agit de l'intelligence rationnelle, et que l'intelligence émotionnelle s'en trouve souvent obscurcie. Or sentir ce que pensent les autres, savoir qu'une personne qui n'a pas votre QI sera plus perceptive aux émotions et remarquera des détails importants que l'intellectuel n'aura pas saisis, permet à l'enfant précoce de respecter en retour ses camarades. Avec cette culture de la tolérance à l'autre, et si l'enfant précoce, toujours très sensible, est respecté, il sera parfaitement épanoui. Quelle merveille que ces cerveaux qui comprennent vite, qui comprennent beaucoup. Mais comme ils sont sensibles ! Lorsque vous parlez avec un enfant précoce, vous avez l'impression d'être devant un cristal. Le cristal se brise si on le maltraite. Si on le respecte, il brille et vous renvoie la lumière. Oui, on peut être surdoué et épanoui, à condition que l'entourage le sache, et en tienne compte.

Docteur, il n'est « pas scolaire » !

Le « premier de la classe », honoré par l'école de Jules Ferry, n'est plus un modèle très prisé à notre époque. Vous acceptez volontiers l'idée que le vôtre n'est pas dans le peloton de tête, et me dites : « Il n'est pas scolaire », espérant vaguement qu'il se révélera plus tard dans un autre domaine : l'art, le sport... Mais les enfants qui ne réussissent pas en classe, eux, se sentent le plus souvent « nuls », comme ils disent, et c'est une réalité avec laquelle il leur est difficile de composer socialement tant la vie scolaire est leur quotidien ; leur confiance en soi s'y brise.

Que peut signifier « ne pas être scolaire », à l'âge où l'école est censée apporter les bases indispensables pour vivre, échanger, être autonome : la lecture, l'orthographe, l'écriture, les chiffres... ? Bien qu'on utilise dès le primaire le nom pompeux de « mathématiques », de nombreux enfants, malgré une intelligence suffisante, ne maîtrisent pas les règles élémentaires de calcul et ne sont pas capables de résoudre de petits problèmes d'épicerie ! Les parents d'aujourd'hui baissent trop souvent les bras sur ces apprentissages essentiels. Or, tout artiste ou sportif que vous l'imaginez, il ne pourra pas s'en passer... On ne peut pas être un sportif, un « manuel », un artiste, si l'on ne maîtrise pas les connaissances fondamentales : français, calcul et anglais. Et tout enfant normal en est capable. Ce qui peut l'entraver, c'est :

— une pédagogie inadaptée,
— une insécurité affective,
— des lacunes antérieures.

Et le jeu en vaut la chandelle, car quels que soient les talents de votre enfant, il ne s'épanouira que s'il maîtrise ces connaissances. Par contre, ensuite, inutile de le faire traîner dans des filières inadaptées à sa forme d'intelligence.

Votre enfant ne peut s'épanouir que s'il se sent reconnu pour ses capacités. Or, comme disait Françoise Dolto, « un enfant est toujours bon en quelque chose ». Il faut donc multiplier les occasions de découvrir ses dons. Dès le collège. C'est l'intérêt des apprentissages en alternance pour lesquels parents et enseignants rechignent trop. Les uns parce qu'ils ne veulent pas que leurs enfants se spécialisent trop tôt, les autres parce qu'ils refusent la notion de formation à un métier, préférant l'idée qu'ils sont là pour cultiver les esprits. Pendant ce temps, ce sont les enfants qui s'éteignent.

— Le collège ne le laisse pas entrer en seconde, docteur. Ils disent qu'il faut l'orienter. Mais moi, je ne sais que faire...

Titouan avait déjà doublé son cours préparatoire. Il avait été beaucoup gardé petit par une employée de maison, ses parents traversant une crise de couple qui les mobilisait totalement. Comme souvent, les difficultés de lecture suivirent la pauvreté du vocabulaire. C'était dommage, car ce bébé était bien né, sans aucune déficience. Comme il avait un an de plus que les autres, les professeurs l'avaient ensuite laissé passer de classe en classe sans jamais prévenir les parents : un écolier qui double son CP a deux fois plus de chances que les autres d'avoir des difficultés au collège si des mesures pédagogiques particulières ne sont pas prises. Naïvement, la mère avait pensé que le redoublement aurait un effet magique, comme s'il suffisait de faire une marche arrière dans le développement pour reconnecter des circuits trop peu stimulés au bon moment...

— Vous avez vu le conseiller d'orientation ?

— Oui.

— Que vous propose-t-il ?

— Il dit qu'il ne sait que nous proposer. Aucune filière ne semble correspondre au profil de notre fils, qui se trouverait décalé socialement dans les lycées professionnels.

— Mais qu'aimerait-il faire ?

— Il ne sait pas. Et puis, sa mère déménage en banlieue et le collège accepte qu'il refasse une troisième...

— Mais il a seize ans... Peut-être vaudrait-il mieux l'aider à trouver sa voie professionnelle ?

Pour avoir suivi Titouan depuis son enfance, je savais qu'il risquait fort de perdre son temps dans un lycée général. Il avait déjà pris des habitudes d'évitement par rapport au travail et goûté au haschich. Il était parfaitement conscient de ses difficultés à appréhender les textes simples mais quand l'orthophoniste, qu'il avait fréquentée de façon peu assidue, avait tenté d'en parler aux parents, elle avait été peu entendue.

— Il va se réveiller, docteur.

— Attention, il peut aussi se marginaliser...

— Mais non ! Moi, je me suis révélé tard.

Le père, certes optimiste et aimant, avait été l'un des grands argentiers de l'État, brillant élève de Normale sup et de l'ENA. Difficile pour Titouan, en effet, d'aller en filière professionnelle...

L'adolescent intégrera une troisième dans la banlieue parisienne. Ses parents ne sauront jamais ses notes de brevet, soigneusement cachées – ils ne firent pas beaucoup d'efforts pour les connaître. La mère déménageant à nouveau dans le Midi, Titouan fut admis en seconde. Quand, à la fin de cette année, il fut encore reconnu qu'il n'avait pas le niveau pour passer en première, il avait dix-huit ans. L'établissement lui laissa le choix de s'orienter ou d'essayer, par un troisième redoublement, d'aller vers un bac général. Titouan décida qu'il était « motivé ». Il fut surtout motivé pour être entretenu par sa famille, se lever tard, traîner avec ses copains, se faire offrir un scooter et cacher ses barrettes de shit dans sa table de nuit. Je le voyais de temps en temps, de plus en plus accoutré en rebelle, le menton transpercé d'un poignard agressif... Jusqu'à ce qu'il décide qu'il voulait être « autonome ». Titouan savait servir à ses parents les mots qu'ils voulaient entendre : « motivé », « autonome », sans vraiment en percevoir les enjeux, malgré d'interminables cours de morale. Il sombra alors dans l'errance, s'inscrivant à des formations qu'il ne suivait pas, sous l'emprise du cannabis. Et c'est finalement à vingt ans que, sa mère venant habiter un modeste logement à Paris, Titouan accepta de devenir apprenti cuisinier. Ayant rencontré l'un de ces admirables patrons qui lui *fit confiance, il commença à retrouver une identité. Mais comme le chemin fut long ! Et encore mal conforté...*

Pendant ce temps, l'ami de classe de Titouan avait trouvé sa voie dès la sortie du collège. Entré dans une école de photographie, il y avait acquis un savoir-faire solide et gagne aujourd'hui sa vie. Certes, le métier de photographe est aléatoire. Mais la voie fut plus simple, et Paul est plus épanoui.

Artiste, sportif, artisan... oui, ces formations peuvent épanouir, pourvu que l'enfant soit aidé à trouver son chemin à temps, par les parents et par les professionnels du collège. Cela suppose une véritable révolution des mentalités !

Car l'école tient encore compte – malgré les efforts récents – d'un développement essentiellement fondé sur l'âge. Les enfants qui n'ont pas le « niveau » de leur classe d'âge sont trop souvent traînés vaille que vaille en troupeau vers des facultés encombrées. Les meilleurs multiplieront encore les années et les diplômes, mais combien viennent me voir, titrés d'un DESS et cherchant un petit boulot de vendeuse ou de secrétaire. Quelle déception ! Comment s'épanouir lorsque, heureux d'avoir acquis des diplômes, on n'est en fait pas préparé à trouver sa place dans le monde réel ? Et qu'on le sait. Les adolescents ont une lucidité bien plus grande que les adultes, même s'ils font semblant de croire que tout va bien, pour vous épargner, vous leurs parents.

Connaître à toute étape le profil de votre enfant, vous enquérir des débouchés proposés aux filières vers lesquelles on le dirige, voilà votre rôle de parents.

3

L'autorité : comprendre n'est pas tout permettre

Dans leur désir passionné de comprendre leur enfant, les parents sont-ils affaiblis ? Le rappel est fort à l'autorité. Devant la violence à l'école, la délinquance dans les rues, tout un courant se dessine mettant en accusation le père démissionnaire et la mère captatrice, autant dire castratrice, qui aurait poussé l'homme à cette démission. On lui demande de le réintroduire auprès de son enfant. D'Aldo Naouri, qui interdit l'allaitement au sein dès la naissance, à Marcel Rufo qui décrète le sevrage indispensable à trois mois, ces hommes pensent de façon fort simpliste que le sein donné au bébé fait écran aux rapports amoureux et à la place du père. Je me demande alors pourquoi la Suède, championne de la durée d'allaitement, a vu son taux de natalité augmenter ; depuis quand ne peut-on pas allaiter son bébé et faire l'amour... ?

Dans le même courant, nous verrons les pères demander la garde alternée – et donc le sevrage – pour de minuscules bébés.

Et les mères ne sont pas les dernières à interpeller leur compagnon lorsque, après un après-midi difficile, il ne gronde pas les enfants à son retour à la maison. Mais ces nouveaux pères, que nous avons vu revivre leur enfance à travers leur bébé, n'ont le plus souvent aucune envie de se mettre à jouer les pères fouettards...

Le bébé a besoin d'être roi

— Tu vas le rendre capricieux !
— Tu le prends trop !

— Laisse-le un peu pleurer…

— Il doit apprendre à jouer tout seul.

— Si tu accèdes à ses moindres désirs…

Avec de telles phrases entendues quotidiennement autour des bébés, on entrave l'instinct de la mère qui la conduit naturellement à capter les minuscules signaux adressés par son enfant. Or plus le petit de moins de trois ans est écouté, plus vous êtes attentif à le comprendre, à mettre du sens sur ses conquêtes, à lui tenir la main, à le consoler, plus il saura ensuite trouver sa place. Le petit roi comprendra, dans sa quatrième année – mais alors seulement –, qu'il n'est qu'un prince. Le roi, c'est papa, la reine c'est maman, et moi je ne suis qu'un enfant. Je deviendrai roi à mon tour à la puberté, quand je serai apte à prendre femme. Pour entrer dans cette humble soumission, il faut avoir été gorgé d'amour pendant ses premières années.

Celui qui n'aura pas eu son content de soins, qui n'aura pas été votre petit roi, celui-là risque fort de réclamer son dû toute son enfance et de se comporter non plus en roi mais en tyran !

Le cap des quatre ans

Entre trois et cinq ans l'enfant acquiert progressivement la capacité de contrôler ses pulsions. Au début de cette période, vous avez été impressionné par ses brusques colères. Bien qu'il sache maintenant parler et semble capable de comprendre vos raisonnements, le voilà soudain qui se roule à terre, hurle de façon inconsolable. Ces crises trouvent leur origine dans une immaturité normale de son cerveau : alors que la couche superficielle, celle de l'intelligence rationnelle, commence à bien fonctionner, les zones profondes, qu'on appelle système limbique, sont encore immatures. Or ce sont elles qui nous permettent de gérer nos humeurs.

Tant que ces circuits neuronaux ne fonctionnent pas complètement, vos discours tombent dans le vide. Pis, ils affolent l'enfant qui se culpabilise de ne pouvoir vous écouter. Si alors vous vous énervez, vous criez, voire vous frappez, vous fixez cet état colérique et favorisez la répétition des crises. « L'affreux Jojo » est né.

Si, au contraire, vous mettez du sens sur ce qui arrive, avec des mots comme « tu es fatigué ! » et aidez votre enfant à s'apaiser, il ira tranquillement vers la maturation. Gardant une bonne estime de lui-même, il parviendra à maîtriser ses émotions, vers ses cinq ans. Vous reviendrez me voir en criant au miracle : « Comme il est facile maintenant ! »

Les fessées n'épanouissent personne

En aucun cas la sanction ne doit être corporelle. Qu'il s'agisse de gifles, fessées, petites tapes sur la main, sur les fesses, tirage d'oreilles, ces méthodes rendent les enfants violents, menteurs, sournois et entraînent une inattention scolaire. Et ces effets délétères sont proportionnels au nombre de sévices corporels.

Bien sûr, certains parents rétorquent qu'ils ont reçu de « bonnes fessées » dans leur enfance et qu'ils ne s'en sont pas plus mal trouvés, voire qu'elles leur ont été salutaires. Ce à quoi je dirais que nous, pédiatres, déplorons l'absence de limites mises par les parents, mais jamais l'absence de fessées. Car nous voyons bien que c'est dans les familles où l'on tape le plus que les enfants sont les plus agités... Même s'il y a bien sûr une différence entre la maltraitance et la fessée donnée en pensant bien faire, la Suède, là encore, nous prouve avec sa loi antifessée qu'un peuple qui a intégré l'idée qu'on peut élever ses enfants sans les frapper n'a pas plus de problèmes d'autorité que la France.

Des sanctions justes

Pendant la consultation de pédiatrie, il est fréquent que l'enfant nous provoque. Alors que le cabinet est empli de jouets pour le distraire, il va droit vers le matériel médical, allume l'otoscope, tire sur la toise, déroule les draps de papier, saute debout sur le lit d'examen et étrangle la poupée avec le cordon du rideau. Derrière le dos des parents concentrés sur leur liste de questions, l'enfant me brave en me regardant droit dans les yeux. Il sait que je suis en position de faiblesse, moi la pédiatre dont la fonction est avant tout d'aimer les enfants.

Dans mes premières années de pratique, j'attendais que la scène soit vraiment ingérable pour réagir. Il y a toujours un moment où toutes les crécelles en plastique seront activées, où la porte du cabinet sera ouverte et fermée vingt fois, et je serai bien obligée d'intervenir. Car l'enfant teste, teste encore, cherchant la limite.

Maintenant, avec l'expérience, j'ai compris qu'il fallait dire stop tout de suite. Et l'enfant me décoche alors un sourire complice : on s'est compris !

Oui, il arrive des moments où la sanction doit mettre un coup d'arrêt. L'enfant la cherche. Sans cela, il est amené à persévérer, à aller plus loin. S'il se bat avec ses frères et sœurs, tant que vous ne direz pas d'arrêter, il cherchera à faire plus mal, à se faire plus mal. Il se perd dans une régression de petit chiot ou dans une puissance sans limites.

Vous avez du mal à dire « non », car vous avez peur de ne plus être aimé. C'est encore plus flagrant lorsque vous vivez une séparation. Vous êtes dans un rapport de séduction mutuelle avec votre enfant, vous voulez être celle ou celui qui comprend et non celui qui contredit. Assumer le « non » est pourtant essentiel. Les interdits sont structurants, ils enseignent que tout n'est pas possible dans notre univers humain, et que nous ne sommes pas le centre du monde. À partir de cinq ans, votre enfant doit être sociable, ce qui suppose qu'il ait appris à maîtriser ses pulsions. La sanction peut alors être nécessaire pour l'aider à réorienter un comportement et renouer le lien social que la transgression de l'interdit a défait.

Encore faut-il que la sanction réponde à des critères précis.

La punition doit avoir du sens

Devant les notes cachées de son fils, un père me déclare : « Lorsque mon fils a de mauvaises notes, je lui confisque sa gameboy ; il ne la reverra que lorsqu'il aura de bonnes notes. » Mais le garçon, tête baissée emplit son dessin de pistolets et de monstres crachant le feu, me signifiant sa colère. Dans le même temps où l'on apprend aux enfants que « donner, c'est donner », cette confiscation, sans limites clairement fixées, lui paraît comme un abus de pouvoir. Il faudrait d'abord se poser la question du mensonge autour des notes, dû à des difficultés que l'enfant ne peut maîtriser sans aide. Puis faire le rapport entre l'effet de la gameboy sur le cerveau et les difficultés d'apprentissage. Alors, on pourra établir un contrat, que je mettrai par écrit, pour le père et le fils, de telle sorte que la sanction ait repris son sens.

« Toute punition qui n'est pas comprise est cruelle, remarque Maria Edgeworth, puisqu'elle fait du mal sans qu'il en résulte un bien[30]. » Non pas qu'il faille de longs palabres avant de punir, mais vous devez sentir que votre enfant sait pourquoi il est puni. Je suis impressionnée par le nombre de punitions données si longtemps – en temps d'enfant – après la faute. L'enfant ne sait absolument plus ce qui a déterminé sa mauvaise action au moment où il est sanctionné !

Les promesses doivent être tenues

— Si tu as une bonne note, je t'emmènerai à Eurodisney.

— Ça fait un an qu'il le dit ! Alors que j'ai eu un 18 en histoire ! bougonne Arthur, qui n'a plus de bonnes notes.

Les parents oublient, mais pas les enfants.

— D'accord, s'exclame la mère, mais quand papa te promet le martinet, il ne le fait pas non plus !

Menace qui a terrifié l'enfant petit mais ne l'impressionne plus : la parole du père est totalement décrédibilisée, dans un sens comme dans l'autre. Les menaces comme les promesses en l'air altèrent profondément la confiance des enfants en leurs parents.

Les enfants ne supportent ni ne pardonnent l'injustice

Les parents le savent, mais comme il est difficile d'être juste. « Qui a commencé ? – C'est lui. – Non c'est elle... » Vous ne vous enliserez pas dans ces polémiques, qui affaiblissent votre autorité, si vous savez enrayer les crises dès le début : « Arrêtez de vous battre. Chacun dans sa chambre » vaut mieux qu'attendre que la bataille tourne mal pour chercher ensuite le responsable. Vous devrez expliquer que le « chacun dans sa chambre » n'est pas une punition mais une mesure de repos parce que vous, vous êtes fatigué ! Et puis, donnez-vous le droit à l'injustice lorsqu'elle n'est pas toujours dans le même sens. Punir parce qu'on est épuisé, c'est compréhensible à l'enfant. S'acharner à toujours punir le même, c'est dévastateur pour son épanouissement comme pour vos relations, présentes et futures.

Vous ne devez jamais dénigrer la personne de votre enfant

« J'ai honte d'avoir un fils voleur » ne rétablira pas chez lui l'idée qu'il ne faut pas voler. « Je suis étonné que toi, qui es si bien, tu aies volé ce jouet » sera bien plus réparateur. Car vous ne punissez pas la personne de votre enfant mais l'acte particulier qu'il a commis dans des circonstances particulières.

La privation est envisageable si elle exerce une frustration qui ramène à la réalité

« Je te prive de télévision parce qu'elle engloutit ton temps de vie. Mais je te l'autorise dans les instants où elle te cultive et te délasse. »

Les pratiques humiliantes sont totalement à proscrire, qu'il s'agisse d'actes, de paroles, de restriction de liberté

Le pouvoir d'humilier ne vous donne pas plus d'autorité ; par contre il transforme votre enfant en rebelle et pervertit sa personnalité.

Limitez vos injonctions aux situations où elles s'imposent

Les multiplier à tout bout de champ pour « lui montrer qui commande » aboutirait tout simplement à émousser votre autorité. C'est par l'exemple et en suscitant son estime que vous acquerrez votre autorité.

L'idée de réparation évite souvent la sanction

L'acte réparateur doit être logique et dépourvu de toute humiliation.

Montrer que vous ne faites pas silence devant la faute est important

Mais il faut en parler entre votre enfant et vous, sans prendre à témoin des intervenants extérieurs.

La sanction exige du sens, de la parole

Une parole qui rassure doit être dite au moment même où l'acte est commis et non à distance, de façon répétitive comme une morale insupportable.

Ces sanctions sont-elles plus du ressort de la mère que de celui du père ? Je pense que chacun a son registre, selon son histoire, son caractère. L'autorité ne se décrète pas. Mais l'un comme l'autre en aura lorsqu'ils se valoriseront réciproquement. Ce qui ne veut pas dire qu'il faille se montrer toujours d'accord et n'avoir des débats éducatifs que derrière les portes. Les enfants ont l'oreille tendue et ils comprennent bien que vous ne pensez pas de la même façon.

Quand une mère me dit : « Son père me donne toujours tort ! » je le regrette parce que cette complainte montre surtout à l'enfant que votre complicité n'est plus totale. Le père peut dire « Je ne suis pas d'accord avec maman, mais elle a le droit de ne pas penser comme moi », avec un sourire, puis vous donner un petit baiser. Là, l'enfant sait qu'il ne peut pas mettre un « coin » entre vous ; l'autorité de chacun en est confortée, lui permettant de s'épanouir paisiblement, à son abri.

La pension, une solution ?

Ce matin-là, la mère d'André m'appelle. Le ton est excédé :

— Connaîtriez-vous une bonne pension pour mon fils ?

André est en sixième. L'an dernier encore, ses parents se félicitaient de ses résultats scolaires et de son comportement – « un enfant si gentil ». Il avait effectivement un comportement assez soumis. Mais depuis, ses parents se sont séparés, un divorce très conflictuel... André réside chez sa mère, à Paris, le père est en Provence.

— Que se passe-t-il pour que vous ayez cette idée ?

— Je ne m'en sors tout simplement pas. Ses résultats ont baissé. Moi, je me crève à bosser, et lui ne fiche rien.

— Pourquoi ne pas le confier à son père ?

C'était vraiment la première solution qui venait à l'esprit. André a un père « à principes », ce dont se plaignait la mère, et le garçon travaillait bien lorsque le couple vivait dans la merveilleuse bâtisse qui servait de maison d'hôtes. Le père en était le régisseur et se trouvait donc très présent. La campagne et la piscine de la propriété étaient plus épanouissantes pour ce garçon que le modeste appartement parisien que la mère occupait depuis la séparation.

Mais je m'attendais à ce que la mère résiste à cette idée : obtenir « la garde » de son fils avait été une telle victoire à ses yeux. Le « rendre » au père serait un aveu d'échec.

— *Mais c'est justement là-bas qu'il a fait des bêtises ! Il a massacré les champs des paysans alentour avec une énergie incroyable ! Son père est d'accord pour qu'il aille en pension.*

Il faut dire que le père s'était trouvé une nouvelle compagne, et peut-être le garçon devenait-il dérangeant pour tout le monde…

Alors, il fallait donner le nom d'une pension idéale, celle où les éducateurs seraient plus compétents que les parents, celle dont le système rétablirait l'autorité manquante… Un nom d'établissement magique, comme ça, vite, un beau matin. Sans consultation d'un médecin, d'un psy, sans entretien avec l'enfant. Ensuite, on lui fera visiter le campus, on déclinera les activités sportives, on le persuadera que c'est pour son bien. Puis, s'il y était malheureux, on me dira : « C'est lui qui a voulu ! » J'ai l'habitude…

Les discours de pédopsychiatres abondent de plus en plus en ce sens, soutenus par le sempiternel principe d'« autonomie ». Les ados auraient besoin de se trouver face à eux-mêmes et de travailler pour eux.

Mais il faut dire tout de même quelques vérités sur la pension : les conduites délictueuses, la consommation d'alcool et de drogues illicites sont d'autant plus importantes que les élèves sont pris en charge par l'établissement scolaire, comme en témoigne l'Observatoire français des drogues et toxicomanie[31] :

— un interne sur trois fume du haschich (« seulement » un sur quatre des externes) ;

— 59 % des internes fument du tabac (contre 45 % des externes) ;

— 82 % des internes boivent de l'alcool (contre 63 % des externes).

— Seulement 28 % des collégiens qui ont été internes accèdent à l'enseignement général contre 58 % de ceux qui n'ont jamais fréquenté d'internat.

— Et je ne parle pas des souffre-douleur qui subissent divers sévices en totale impunité pour leurs « camarades » tortionnaires… et n'osent en faire état qu'en présence de leur pédiatre ! Je pense à Yohan, dont le petit frère me dit qu'il en avait « marre de se faire mettre un doigt dans le derrière chaque week-end, depuis que Yohan revient de pension... » Yohan, et les autres...

Ainsi « la bouée de sauvetage risque de se transformer en ceinture lestée qui fera encore plus couler ceux qui ont déjà la tête sous l'eau », écrivait en février 2001 Marc Dupuis dans le *Monde de l'éducation*.

Revenons au cas d'André : il est clair que ce collégien, qui ne présentait aucune difficulté tant qu'il était épanoui dans une famille unie, proteste actuellement contre le climat exécrable qui règne entre ses parents séparés. Une médiation parentale devrait être un préalable à la prise d'une décision aussi lourde qu'une mise en internat.

Écoutons ici l'avis d'un jeune homme qui a su prendre du recul. Benjamin a vingt et un ans, il est heureux de pouvoir donner son opinion :

— *Pour moi, c'était une bonne décision. Le seul moyen pour que je me mette au travail. Il n'y avait pas de « fumette », dans cet internat, il y a dix ans. Les professeurs et les éducateurs nous respectaient. Oui, je crois que ma mère l'a fait parce qu'elle pensait que c'était bien pour moi. Et je pense qu'elle a eu raison.*

— *Tu souhaites faire de même si tu as un fils ?*

— *Ah non ! Vraiment non. Mais j'espère que je lui donnerai un autre contexte de vie familiale.*

Autrement dit, l'internat peut être vécu comme une solution pour échapper à un environnement familial perturbant. Après avoir eu très mauvaise cote (5 % des collégiens et lycéens sont actuellement internes contre 13 % en 1970), de nombreux parents déboussolés se reprennent à espérer trouver là la solution pour extraire leur adolescent du laisser-aller devant la télévision, l'ordinateur et les sorties en bande. Il y a à nouveau des listes d'attente pour l'inscription.

Alors, la pension pour épanouir votre enfant ? J'y mettrais des conditions :

— donner un sens à ce choix, pour l'enfant : le village dans lequel vous vivez ne lui permet pas de faire des études en habitant à la maison (c'est le cas de nombreux enfants d'agriculteurs ou d'artisans), ou la spécialité choisie impose un éloignement. Il sait que vous en êtes triste, mais que c'est nécessaire à ses études.

— Répondre à une réelle demande de l'adolescent : certains ont besoin de se libérer des discordes conjugales, d'un beau-parent qui ne les comprend pas, d'une fratrie pesante ou souffrent d'un trop grand absentéisme des parents, du fait de leurs occupations professionnelles.

— Même dans ces conditions, il faut assurer à l'enfant que vous êtes à son écoute. S'il se sent malheureux, il pourra changer d'avis. Je vois trop de collégiens qui se résignent parce qu'ils s'interdisent de dire ce qu'ils ressentent à leurs parents. Ils savent que ceux-ci insisteront pour les laisser à l'internat même s'ils sont vraiment déprimés, alors à quoi bon ? Et la formation des éducateurs et des professeurs doit évoluer : la passivité devant les conduites addictives doit cesser, comme doit être surveillée la dynamique des rapports entre adolescents.

C'est à ce prix, et à ce prix seulement, que l'internat peut devenir une solution salvatrice pour adolescents à la dérive. « Après avoir été longtemps oublié, voire déprécié, l'internat scolaire public peut, en effet, être un atout, un cadre formateur et sécurisant pour la réussite scolaire et l'intégration sociale de nombreux jeunes. »

V

QUAND LA FAMILLE SE SÉPARE, L'ENFANT PEUT-IL S'ÉPANOUIR ?

1

La résidence alternée, une solution pour qui ?

Ils sont assis devant mon bureau, le père, la mère, et au milieu Christophine, neuf ans, les yeux bleu porcelaine et les cheveux blonds coupés au carré.

— Notre fille a lu Titeuf. Et Titeuf dit que lorsqu'on a des soucis, il faut aller voir un « psy ». Alors, Christophine a dit qu'elle voulait voir un « psy »... Nous, nous ne voyons pas quel souci elle peut avoir, elle semble une petite fille heureuse et nous faisons tout pour...

— Et toi, Christophine, tu sais quel est ton souci ?

Elle hoche la tête mais visiblement, elle ne parlera pas facilement.

— Vous vivez réunis ?

— Presque ! Nous sommes séparés mais amis, et les enfants sont en garde alternée, une semaine chez lui, une semaine chez moi. Nous faisons tout pour qu'ils ne souffrent pas de notre séparation.

Je questionne sur l'école, les rapports fraternels, puis propose de voir l'enfant seule. C'est vraiment ce qu'elle espérait. Elle suit leur sortie du regard, attend que la porte soit bien refermée, puis tire sa chaise un peu plus près du bureau. Tout en dessinant, elle m'explique combien il lui pèse que la maison où est resté papa soit vide de maman ; que l'immeuble de maman soit bruyant et sans jardin. Pourquoi les enfants ne sont jamais bien nulle part. Elle dessine une bulle dans la bouche d'une fillette :

— Moi, je ne pleure pas. Mais c'est toi qui as raison.

Sur son dessin, son petit frère pleure à chaudes larmes, elle n'a que deux gouttes bleues qui perlent des yeux. Un parent de chaque côté, un immeuble côté maman, une maison côté papa avec de grosses larmes qui coulent des fenêtres et une porte en forme de bouche triste.

Christophine montre que la garde alternée, qui déculpabilise tant de parents, ne suffit pas à rendre un enfant heureux.

La séparation à peine évoquée, les pères d'aujourd'hui revendiquent la « garde alternée ». C'est une véritable révolution dont on n'a pas encore réalisé toute la portée. D'abord les bienfaits :

— la reconnaissance du rôle du père, son engagement dans l'éducation de ses enfants ;

— la nécessité pour les parents de poursuivre un dialogue et un minimum d'organisation partagée ;

— mais aussi la quasi-certitude de voir, dans la durée, baisser le nombre des séparations et divorces ! En effet, il y a quelques années, une femme pouvait demander le divorce sans craindre d'être coupée de ses enfants, la garde étant confiée à la mère dans la plupart des cas. Aussi les femmes étaient-elles les plus nombreuses à vouloir la séparation, à 75 %.

Aujourd'hui, lorsqu'une mère vient me dire qu'elle pense demander le divorce, je lui pose la question :

— Vous êtes prête à ne voir votre enfant qu'une semaine sur deux ?

— Il n'en est pas question !

— Peut-être, dans votre esprit. Mais pour le père...

— Je sais, il m'a déjà dit qu'en ce cas il la demanderait. Mais je dirai non !

— Vous, mais le juge ? Pourquoi dirait-il non ?

Et là, bien des mères préfèrent renoncer à l'idée d'une séparation. Ce qui n'est pas forcément un mal, car si les raisons en sont parfois légitimes, les situations sont fréquentes aussi où l'obstination à construire son couple triomphe avec le temps.

Si la demande de partage du temps d'enfant fait réfléchir certaines mères, c'est important. En sachant que tous les compagnons ne sont pas uniquement mus par l'intérêt de l'enfant lorsqu'ils demandent la garde alternée. L'allègement de la contribution donnée à la mère, le pouvoir exercé ainsi sur elle, peuvent entrer en jeu, plus ou moins consciemment...

Qu'en est-il donc de l'intérêt de l'enfant, la résidence alternée est-elle la potion magique pour l'épanouir malgré la séparation ? Tout dépend des conditions dans lesquelles les modalités de garde sont mises en œuvre. Un bébé ne peut pas s'épanouir si le cœur de sa mère est brisé !

Marjolaine allaite encore Robin, son bébé de huit mois. Après une grossesse mal vécue par son compagnon et une naissance qui n'arrangea pas la situation contrairement à ses espoirs, les jeunes parents se séparèrent alors que le bébé n'avait que quelques semaines. Le père est d'abord venu voir l'enfant chez elle régulièrement mais maintenant, il demande la garde alternée et l'arrêt de l'allaitement maternel. Et la mère pleure. Il y a tout à penser que le fait d'allaiter encore à huit mois (ce qui est fréquent dans de nombreux pays dont la Suède, on l'a vu) jugé en France comme une attitude « fusionnelle » pourra être retenu contre la mère. J'essaie de raisonner le père sur le fait que le meilleur moyen de créer une bonne relation avec son fils n'est pas forcément de faire pleurer la mère et de lui arracher contre son sentiment le fruit de ses entrailles… Il n'entend pas et sort rassuré parce que, dans le même temps, j'encourage la mère à commencer à donner des aliments lactés à la cuiller pour permettre à l'enfant de se nourrir autrement. Sans précipiter cependant un sevrage complet en attente du jugement.

La semaine suivante, Robin revient : dès le deuxième repas au lait de vache, il avait été pris de vomissements suivis d'un rash cutané majeur ; certainement une allergie au lait de vache. Cette hypothèse fut rapidement étayée par une réaction allergique au test cutané. Un bilan complet s'imposait et le sevrage dut être différé. Ce qui conduisit le juge à laisser le statu quo avec la liberté de visite quotidienne du père. Celui-ci fut fort mécontent et laissa apparaître ses vraies motivations : il voulait pouvoir confier son enfant à sa propre mère, impatiente de pouponner son petit-fils.

Depuis, Robin a pu se sevrer en douceur et sa mère l'a laissé aller chez la belle-mère. Elle n'était absolument pas en refus, il lui fallait simplement un peu de temps pour être prête, dans son cœur de mère.

2

Conseils pratiques

Disons aussi qu'il doit y avoir une limite d'âge à la garde alternée. Le professeur Maurice Berger, chef de service de psychiatrie de l'enfant et de l'adolescent au CHU de Saint-Étienne, dénonce l'état d'insécurité présenté par les enfants de moins de deux à trois ans qui passent régulièrement une nuit ou plus chez leur père[32]... Un enfant a besoin d'une grande régularité et d'une constance de ses conditions de vie d'autant plus grande qu'il est plus jeune.

On l'aura compris, pour que la séparation ne nuise pas à l'épanouissement de votre enfant, inutile de vous disputer les heures et les minutes. Ce qui compte, c'est que :

— vous ayez bien réfléchi avant de vous lancer dans une aventure qui sera difficile pour votre enfant mais aussi pour chacun des parents ;

— vous fassiez tous les efforts du monde, l'un et l'autre, pour rester des amis ;

— vous preniez chacun un avocat pour déléguer les problèmes financiers et matériels, de façon à ne pas entacher votre relation ;

— vous écoutiez le ressenti de l'autre ;

— vous évitiez de faire pression sur votre enfant, en le culpabilisant s'il se sent plus détendu chez l'autre ;

— vous écoutiez aussi le ressenti de votre enfant.

Si vous doutez de sa liberté de parole, vous pouvez consulter ensemble un psychologue ou votre pédiatre. La parole de l'enfant est tout à fait valable s'il est reçu seul dans le cabinet d'un professionnel formé à son écoute, en toute confidence, alors qu'il a été accompagné par ses deux parents ensemble. Ne harcelez pas pédiatres et psys pour obtenir des certificats qui indisposeront le juge. C'est de son ressort de recevoir lui-même l'enfant, éventuellement accompagné de son propre avocat, voire de nommer un expert.

Car la parole de l'enfant doit être entendue « dès qu'il est en âge de discernement », dit la loi, ce qui peut être à partir de cinq ans pour un enfant normalement éveillé. Mais il s'exprimera d'autant mieux et aura d'autant plus de respect pour l'un et pour l'autre, dans l'avenir, si vous devenez un couple d'amis, tout simplement !

VI

QUI A BESOIN D'UN PSY
POUR S'ÉPANOUIR ?

1

Une plus grande culture « psy »

Les psys sont-ils devenus les nouveaux « gourous » qui vous guident tout au long de cette grande aventure ? Les listes d'attente dans tous les centres de consultations, le succès du magazine *Psychologies*, les dizaines de milliers de messages demandant conseil dans le cadre de mon émission hebdomadaire sur France Inter, montrent comme l'attente des parents est grande quant à l'apport de la psychologie pour l'éducation de leur enfant. Dans la plupart des services, les trois quarts des consultations en pédopsychiatrie sont spontanées – c'est-à-dire non adressées par des professionnels de la santé et de l'enfant. Ces chiffres prouvent que le développement psychologique de l'enfant est une préoccupation centrale des familles.

L'éducation d'un enfant, c'est comme un voyage en haute mer : il vous faut tenir le gouvernail entre des courants contraires. Si vous partez dans une direction sans vous poser de questions, si vous ne redressez pas le cap à chaque sortie du chenal, le bateau ira droit dans les écueils.

« Nous ne nous posions pas tant de problèmes ! » disent parfois les grands-parents. Oui, c'était simple, quand l'enfant volait ou paressait, on disait qu'on était tombé sur un « mauvais numéro ». Et alors, le martinet, la pension et puis, si ça ne marchait pas, ce n'était pas notre faute. Les psychanalystes soignent les dégâts causés par de telles méthodes.

« Mais tout le monde ne tournait pas mal ! Et les gens étaient plutôt mieux élevés, plus travailleurs... » C'était aussi une époque plus simple. La télévision, les jeux vidéo, le rythme de vie des parents, l'insécurité familiale, l'absence des grands-parents... plus rien ne vient conforter l'autorité des adultes. Mais bien sûr, vous n'avez pas besoin de conseils psys à tout moment, pour tout enfant... Et disons-le : oui, consulter un psy peut avoir un effet négatif ! Car tout dépend du psy, et de la façon dont vous l'utilisez.

La plus grande information psychologique des parents, cultivée par la lecture d'ouvrages et de magazines, a un effet positif, je le vois dans ma pratique. Même si vous rencontrez des analyses contradictoires, vous pouvez réfléchir pour trouver votre propre chemin. Il y a deux sortes d'enfants : ceux pour lesquels les parents se passionnent, lisent et s'instruisent ; et ceux que les parents subissent, les rabrouant au moindre dérangement dans leur vie adulte. Les premiers ont beaucoup plus de chances de s'épanouir que les autres ! Ce que Marcel Rufo analyse avec son humour habituel : « Le maître mot des parents actuels, c'est : "je veux comprendre mon enfant" plutôt que l'éduquer. La logique de leur raisonnement, c'est donc de faire intervenir un tiers. Oui, les parents consomment du psy, mais c'est pour que le psychisme de l'enfant aille mieux. La prévention avec le psy, j'y suis favorable. »

À condition que ce travail soit bien fait. Sinon, c'est la levée de boucliers. Mon confrère Julien Cohen-Solal souligne « un facteur de résistance considérable de la part des patients qui viennent consulter un « psy », comme de celle des médecins. Évidemment, de la part des patients, il y avait, autrefois, une résistance très forte à l'idée d'aller voir un psy "quelque chose". Cette résistance, il faut le souligner, se manifeste également du côté des pédiatres, dont certains n'aiment pas du tout la psychologie et qui, dès qu'ils entendent la syllabe "psy", sont prêts à sortir leur revolver. »

Consulter est réellement une démarche complexe. Quand ? Et qui ?

Quand ? Freud disait que l'on devait consulter lorsque l'on ne pouvait pas aimer ou lorsqu'on ne pouvait pas travailler. C'est tout à fait précis, n'hésitez pas à demander conseil au psy :

— si votre enfant ne peut pas aimer : il est agressif, boudeur, dirigiste, se fait rejeter, perturbe le groupe d'enfants ou la classe...

— s'il est en échec scolaire ou n'a aucune appétence à travailler.

2

Pédiatre, pédopsychiatre, psychologue, quel praticien ?

Votre premier interlocuteur sera votre pédiatre : « Que la mère parle parfois de "son" pédiatre au lieu de le désigner comme celui des enfants n'a rien d'étonnant, car, à travers le contrôle et les soins médicaux, c'est du bon fonctionnement d'une relation qu'il est appelé à répondre. Le carnet de santé précède le carnet scolaire : le médecin y note la régularité de la croissance, l'acquisition des compétences motrices et intellectuelles, on y trouve des bilans impliquant des renseignements sur la vie de la famille, le mode de garde de l'enfant, son éducation. Le conseil psychologique et éducatif fait partie de ce qui est attendu du pédiatre, la décision de consulter un psychothérapeute est seconde par rapport à l'attente de la mère vis-à-vis de ce médecin qui a été mis par elle en lieu et place bien souvent de sa propre mère par rapport à sa relation à l'enfant[33]. »

Entendre des parents « normaux » et savoir les guider, voilà le quotidien du pédiatre. Encore y a-t-il des différences entre l'attitude des pédiatres secondairement spécialisés en psychologie (Winnicott, Dolto, Lebovici, Brazelton) et les pédopsychiatres non pédiatres : eux voient de la pathologie partout, surtout chez les parents : quel cortège de mères castratrices ou hypocondriaques par enfant interposé et de pères incestueux dans leurs analyses !

« Les psys ont souvent dit que les pédiatres étaient des guérisseurs de symptômes. Nous devons nous considérer comme les spécialistes de l'enfant normal... Il nous semble en effet qu'au cours de leurs études les futurs psychiatres, et plus particulièrement les futurs pédopsychiatres, entendent relativement peu parler de l'enfant normal, comme si ce chapitre allait sans dire, allait de soi[34] », dit encore Julien Cohen-Solal.

Quand faut-il donc consulter un psy d'enfant ? Un pédopsychiatre ou un psychologue ? Les pédopsychiatres sont des médecins. Le plus souvent, leur compétence est immense au dépistage des pathologies mentales. Et le diagnostic posé, ils vous orientent vers un psychologue clinicien qui prendra l'enfant en psychothérapie. Mais, selon leur champ d'action, il y a aussi des pédopsychiatres qui sont d'excellents thérapeutes. Par la force de leur empathie, dès la première consultation, ils créent une envie de se confier chez votre enfant, et trouvent les réponses qui lui permettent de se retrouver lui-même. Je n'oublierai jamais la consultation de mon maître le professeur Lebovici :

Nous avions longuement entendu des parents désespérés après la tentative de suicide de leur fille, Marie-Ange. Après qu'ils furent sortis, le professeur s'installa pour l'écouter :

— Alors ?

— Heureusement que j'avais rendez-vous aujourd'hui, lui dit Marie-Ange, car hier soir, j'avais encore terriblement envie d'en finir.

Ses parents attendaient dans le salon à côté, les étudiants l'observaient à travers la vitre sans tain comme habituellement à la faculté d'Avicenne. Ses mèches gominées par le gel tombaient sur son visage penché.

Le très vieux professeur était tassé sur son siège. Dans le silence qui suivit, on pouvait se demander s'il dormait, car il semblait avoir des pertes de vigilance. Mais c'était plutôt le calme trompeur du crocodile dans son marigot, épiant sa proie. La jeune fille était perdue dans ses pensées…

L'assistante et moi nous agitions sur notre chaise, craignant que le « patron » ne se soit assoupi. Alors, il nous jeta un regard fulgurant entre ses lourdes paupières puis la parole tomba :

— Tu as vraiment envie de les faire chier, n'est-ce pas, tes parents ?

La grossièreté de la formule sur les lèvres d'un homme de cette noblesse tomba comme un coup de tonnerre. L'adolescente la reçut comme un électrochoc. Elle releva la tête d'un coup brusque et dit « oui ! », son visage s'éclairant d'un sourire.

— Alors tu vas réfléchir à savoir pourquoi tu as tellement envie de les faire souffrir et tu me le diras ?

— Oui...

L'aura du professeur était celle d'un sage africain à qui quelques mots suffisent pour être entendu.

Proche de sa fin, il recevait encore le samedi après-midi, chez lui, des enfants que je lui amenais. La solennité de l'audience autour de sa grande table permettait aux parents d'entendre des messages que nous, praticiens plongés dans la vie active, avions souvent du mal à faire passer. Seul lui pouvait convaincre une mère de réinvestir le père homosexuel auprès de sa fille pour que l'anorexie mentale cède comme par miracle !

Quand il s'agit de nourrissons, le pédopsychiatre, ou le psychologue formé à la psychothérapie du bébé, travaille avec la mère, bien sûr. Les consultations sont fondées sur l'observation des mouvements du nourrisson et du jeune enfant pendant que sa mère parle. Les séances filmées du professeur Bertrand Cramer font école pour tous les praticiens de la petite enfance. Il décrit son travail : « Au niveau des conflits, des fantasmes, des idées-forces, des prédilections et des aversions de la mère », l'observation éclairée révèle son fonctionnement psychique et les zones de focalisation qu'elle imprime à l'interrelation. « Par exemple, proximité corporelle, nourriture, séparation. On cherchera la répétition, la définition des plaintes, les angoisses types, puis on en cherchera l'équivalent dans l'histoire de la mère. Telle est la vertu de l'ouverture de cette boîte de Pandore recelant les secrets familiaux, rendue possible par la participation de l'enfant au récit public (la consultation) des tourments cachés de l'enfance de ses parents[35]. »

3

Sachez juger votre thérapeute

Encore faut-il que les entretiens à caractère psychologique soient menés dans le respect de l'enfant. Et d'abord en alliance avec ses parents. Le discours qui consiste à considérer toute mère comme pathogène ne peut pas être fondateur pour un psychisme en plein développement. Or c'est malheureusement le propos le plus répandu aujourd'hui.

Aucun travail ne peut être productif avec un enfant si l'on n'y associe pas les parents. La pratique très répandue qui consiste à déposer l'enfant chaque semaine pendant des mois aux consultations avec le psy sans aucun entretien avec les parents court toujours à l'échec. La culture psy qui veut que, sous prétexte de respecter le secret de l'enfant, on ne parle jamais à ses parents est une mauvaise application de la psychanalyse à un être en développement, entièrement dépendant des adultes qui vivent avec lui. Tout travail doit comporter des entretiens avec l'enfant, séance de jeux, de dessins ou de conversations, selon l'âge et le désir de l'enfant ; des séances avec l'enfant et ses parents ; et des séances avec les parents, avec l'un ou l'autre ou les deux.

Car pour que les entretiens soient efficaces, il faut que les deux parents y participent. De ce point de vue, je me dois de dire combien les pères se méfient des psys, au point de ne pas venir à des consultations où ils ont pourtant toute leur place. Ils n'utilisent souvent les psys que pour chercher à les instrumentaliser en cas de séparation ! Les hommes sont généralement dans la puissance et non dans le verbe. Mais, pour élever son enfant, il faut savoir baisser les armes, venir écouter sa parole libérée pour et par le praticien. Si *infans* veut dire « qui ne parle pas », il faut bien que des spécialistes formés puissent dire la parole au père, mais aussi entendre la parole du père. Les pères restent trop en retrait (le plus souvent, c'est la mère qui prend contact avec le psy), ou bien sont trop peu sollicités par le thérapeute.

Bien sûr, dès la première séance avec l'enfant, nous lui expliquons ce qu'est le secret médical et pourquoi nous ne répéterons rien à ses parents de ce qu'il nous confie, sauf s'il nous en donne mission expressément. Les secrets de famille ne seront non plus jamais révélés à l'enfant par le thérapeute. Si les parents estiment qu'ils doivent garder le secret d'une filiation illégitime, d'un suicide parental, d'une maladie grave dans la famille, ce n'est pas le praticien qui le révélera à l'enfant. Car ce secret a un rôle dans l'équilibre psychique de la famille. Par contre, le médecin pourra, par la conversation avec les parents, réexaminer avec eux la justification de garder le secret et les amener à en parler – eux – à leur enfant s'ils ne sentent plus l'utilité du silence.

Je suis atterrée lorsqu'une famille que j'ai adressée chez un psy me dit : « Non, je ne vois pas à quoi ça sert » ; ou : « Je ne suis pas du tout d'accord avec la méthode, ou le discours… », « Il ne veut pas y retourner »… Car c'est toujours un échec grave : la démarche qui consiste à aller chez un psy demande un investissement psychique qui mérite le respect. Lorsque mes collègues me disent : « Je n'y peux rien, ils ont des défenses qui les rendent inaccessibles à la psychothérapie », je suis déçue. Je pense que le travail du psy est justement de faire avec ces défenses et non de déclencher une brutale opposition. Mais trop de psys considèrent que se mettre en empathie, c'est se compromettre, ou s'exposer soi-même à devenir trop impliqué dans l'histoire de l'enfant. Il faut tout de même un minimum de don de soi pour créer l'empathie. Alors, qu'il s'agisse d'un pédiatre, d'un pédopsychiatre, ou d'un psychologue, votre thérapeute sera un précieux soutien à votre enfant sur le chemin de son épanouissement.

Lorsqu'un entretien est bien mené, c'est comme si vous aviez pu « décontaminer » votre enfant, selon le mot de Bertrand Cramer, des pensées qu'a priori vous avez projetées sur lui, et alors, vous sortez ébloui : vous le voyez avec des yeux nouveaux. « C'est comme une seconde naissance, psychologique celle-ci. Un enfant neuf se dévoile sous votre regard. Cet enfant, il est autre, il n'est plus leur ombre portée. Cette découverte de l'altérité (c'est-à-dire de la qualité d'être autre) est essentielle dans le développement de toute relation parent enfant[36]. »

Dans notre société, où les médiateurs se font rares, c'est notre honneur d'être ainsi interpellé lors des moments forts de la vie d'un enfant.

Conclusion

Votre mère me demandait : « Que faire pour qu'il obéisse ? » ; vous me dites : « Comment mieux le comprendre ? »

Votre mère me disait : « Je veux qu'il lise ! » ; vous me dites : « Je veux qu'il ait des amis. »

Votre mère me disait : « Dites-lui qu'il n'est pas de son âge de sortir le soir ! » ; vous me demandez : « Connaissez-vous un bon livre d'éducation sexuelle ? »

Vous me disiez : « Docteur, il est premier de sa classe ! » ; vous me dites : « Pourvu qu'il soit épanoui… »

Nous l'avons vu, aider votre enfant à s'épanouir est une mission beaucoup plus subtile que celle qu'on se donnait autrefois.

Parce que vous avez lu ce livre, je sais pourtant que vous avez toutes les chances de réussir. Non par le contenu même – je n'aurais pas la prétention de penser avoir apporté toutes les solutions – mais par la curiosité qui vous a poussé, et qui est déjà un acte d'amour.

Nous avons vu qu'il ne suffit pas aux êtres humains d'être dotés de la capacité de procréer pour épanouir l'enfant mis au monde. Qu'ils soient mus d'un réel désir d'enfanter, d'un grand amour l'un pour l'autre, ou qu'ils soient heureux de se rêver mère ou père, les parents peuvent être indifférents aux réels besoins de leurs petits, communiquer avec eux sans joie, ou les étouffer par surprotection. Lorsque l'enfant n'est pas aimé pour lui-même, l'enfantement peut créer chez l'adulte une véritable frustration. Il ressentira alors durement la « perte de sa liberté » ; il parlera de « sacrifice ». En miroir, l'enfant, avec son intelligence intuitive, perçoit que les adultes sont en contradiction avec leurs paroles et se sent en insécurité.

Il ne suffit pas non plus de s'en remettre à la société : de la crèche à l'école, des programmes de télévision aux lois qui régissent votre vie familiale, la priorité n'est pas donnée au bien-être moral des enfants. Le rôle des parents, tant pour les guider que pour les protéger, n'a jamais été si grand.

Votre passion pour sa vie psychique, et non le désir ou le besoin d'avoir un enfant, vous fera seule appréhender la noblesse de votre mission tutélaire. Veiller sur l'épanouissement deviendra alors à vos yeux aussi important que votre survie personnelle. Rassuré de trouver dans ce livre certaines de vos intuitions confortées, vous pourrez mieux vous adapter aux attitudes de votre enfant. Nous avons vu par exemple combien, pour respecter la si particulière sexualité infantile, il faut de chasteté dans vos rapports. Vous saurez vous montrer tolérant pour les expériences nécessaires à son développement, favoriser son accès à l'autonomie, à la maîtrise de soi et au renoncement à son instinct agressif, et vous essaierez de trouver les réponses justes aux questions dont le petit de l'homme bombarde ses « maîtres à vivre » : ses parents.

Vous aurez manifesté vos capacités éducatrices, sans faiblesse permissive ni violence répressive. La liberté que vous lui aurez laissée, chaque jour plus grande, pour s'exprimer, expérimenter, tout en le protégeant encore des malveillances venues des autres, lui permettra de se soustraire progressivement à votre tutelle.

Mais pour parvenir à laisser votre enfant libre d'acc4éder à la connaissance de lui-même et du monde qui l'entoure, il est indispensable que vous sachiez lui faire confiance et prendre de la distance vis-à-vis de lui. Pour que votre enfant devienne autonome, il faut que vous lui donniez l'exemple en préservant votre propre part de liberté ; ce qui ne veut pas dire lui témoigner de l'indifférence, bien au contraire !

Vous avez vécu ensemble la plus grande aventure de la vie.

Vous vous êtes préparée à concevoir et à protéger de corps et d'esprit tout ce qui pourrait atteindre le minuscule embryon.

Son père a partagé vos séances d'échographie, pratiqué l'haptonomie, accompagné votre grossesse.

Dès sa naissance, vous avez « pardonné » à vos parents les terribles griefs que vous nourrissiez contre eux pendant votre adolescence.

Vous avez organisé un quotidien équilibré à l'attention de l'enfant, avez trouvé la « nounou » du siècle, une place dans une crèche chaleureuse, ou pu faire une pause dans votre vie professionnelle.

Vos genoux et vos bras se sont montrés inusables tant vous l'avez porté et bercé.

Vous avez été un partenaire enthousiaste de sa vie scolaire.

Vous avez su retomber en enfance en préparant joyeusement ses goûters d'anniversaire.

Vous n'avez pas étiqueté son caractère des défauts de l'oncle Jules ou de votre belle-mère.

Vous lui avez donné l'occasion de développer ses talents, en science comme au basket.

Quand son père est allé vivre ailleurs, vous avez su rester des amis.

Vous avez entendu ses jugements intransigeants d'ados sans faire de concessions sur vos propres opinions.

Vous n'avez pas voulu savoir laquelle de l'herbe « afghane » ou de la « marocaine » était la plus pure et vous l'aviez averti dès ses dix ans sur les effets de ces produits.

Vous avez partagé ses commentaires de texte comme ses brouilles avec ses copines.

Vous avez perdu des après-midi en courses interminables pour trouver un compromis entre le pantalon normal et le « baggy » absolu.

Son père a admiré sous la pluie sa position de gardien de but à chaque match de foot du tournoi des collèges.

Vous lui avez fait confiance pour ses sorties, même si vous n'avez jamais pu fermer l'œil avant son retour, malgré votre réunion du lendemain.

Vous avez accepté de troquer le séjour en Angleterre contre un stage dans l'humanitaire...

Et le voilà envolé du nid.

Lorsque vous avez accompli tout ce chemin avec votre enfant jusqu'à en faire un être humain accompli, il est épanoui à la fois dans ses talents et dans sa capacité à aimer et à être autonome. Mais, sachez-le, il contestera votre éducation. Il faudra que votre jeune adulte dénigre votre propre compétence parentale pour que, à son tour, il puisse avoir un projet personnel et devenir autonome. N'en soyez donc pas étonné et n'espérez pas qu'il vous donnera quitus, du moins dans ses premières années de vie adulte. C'est beaucoup plus tard qu'il se rendra compte du temps que vous lui avez consacré, de la vigilance qui a été la vôtre ; bien plus tard qu'il tiendra compte dans ses critiques de votre propre héritage éducatif, de vos contraintes matérielles, mais aussi des barrages que la société vous aura imposés. Quand ? Quand il aura lui-même des enfants qui commenceront à grandir. Il faut se retrouver soi-même dans le métier de parent pour se rendre compte que les parents ont fait tout ce qu'ils ont pu, avec une grande attention.

Alors, il manifestera de la reconnaissance pour votre œuvre, non en vous le disant, mais en se lançant à son tour avec optimisme dans la plus noble mission de la vie : aider ses propres enfants à s'épanouir.

Et vous vous surprendrez alors à attendre que votre enfant devenu libre revienne vous montrer un bébé, son bébé. Serez-vous prêt alors à l'accompagner pour aider votre petit-enfant à s'épanouir ?

Notes bibliographiques

1. Bertrand CRAMER, *Secrets de femmes : de mère à fille*, Paris, Calmann Lévy, 1996, chap. 2.
2. Jean-Pierre CHANGEUX, *L'Homme neuronal*, Paris, Pluriel, 1998.
3. Daniel STERN, *Le Monde interpersonnel du nourrisson*, Paris, PUF, 1997.
4. WEINBERG et TRONICK, « Sex Differencies in Emotional Expression and Affective Regulation in 6 Month Old Infants », Society for Pediatric Research, 1993.
5. Bernard GOLSE et Claude BURSZTEJN, *Penser, parler, représenter : émergences chez l'enfant*, Issy, Masson, 1990.
6. Magazine *Psychologies* n° 235.
7. Donald W. WINNICOTT, *L'Enfant et sa famille*, Paris, Payot, 1991.
8. Bernard GOLSE et Claude BURSZTEJN, *op. cit*
9. Judith RICH HARRIS, *Pourquoi nos enfants deviennent ce qu'ils sont*, Paris, Robert Laffont, 1999.
10. Bertrand CRAMER, *op. cit.*
11. Marie-Bernard CHICAUD, *La Confiance en soi*, Paris, Bayard, 2002.
12. Boris CYRULNIK, *Un merveilleux malheur*, Paris, Odile Jacob, 1999.
13. Docteur Jay GIEDD, Institut national de santé mentale du Maryland, publication dans *Courrier international*.
14. Interview de Sophie CARQUAIN, *Le Figaro Madame*, 30-10-2004.
15. Boris CYRULNIK, *Les Nourritures affectives*, Paris, Odile Jacob, 2000.

16. Paul DENIS, Colloque du Palais des congrès, 21-06-2003.
17. Philippe JEAMMET, *La Sexualité infantile revisitée à l'adolescence*, Paris, La Découverte, 2002.
18. Nelly OLIN et Bernard PLASAIT, *Drogue, l'autre cancer*, les rapports du Sénat, n° 321, 2002-2003.
19. Jean-Pierre VISIER, « Information et accompagnement des parents », in S. LEBOVICI et F. WEIL-HALPERN (dir.), *Psychopathologie du bébé*, chapitre 70, Paris, PUF, 1989.
20. Bernard GOLSE et Claude BURSZTEJN, *op. cit.*
21. Philippe JEAMMET, *op. cit.*
22. Élisabeth BADINTER, citée en 1980 par Pierre Tap dans *Masculin et féminin chez l'enfant*, Toulouse, Privat, 1985.
23. Mariella RIGHINI, *La Passion*, Paris, Grasset, 1983.
24. Françoise DOLTO, *La Sexualité féminine*, Paris, Gallimard, 1996.
25. Pierre TAP, *op. cit.*
26. Bernard GOLSE, *op. cit.*
27. Conférence-débat de l'Association française de psychiatrie, 24-11-2004.
28. Pierre TAP, *op. cit.*
29. Jean-Pierre VISIER, *op. cit.*
30. M. EDGEWORTH, *Éducation pratique*, Paris, Librairie J.-J. Paschoud, 1801, p. 176.
31. Robert BALLION, *Les Conduites déviantes des lycéens*, Paris, Hachette éducation, 2000.
32. Lettre au ministre de la Justice, le 29-07-2004.
33. Sophie de MIJOLLA-MELLOR, *Le Besoin de savoir*, Paris, Dunod, 2002.
34. Julien COHEN-SOLAL et Bernard GOLSE (dir.), *Au début de la vie psychique*, Paris, Odile Jacob, 1999.
35. Bertrand CRAMER, *op. cit.*
36. Bertrand CRAMER, *op. cit.*

Table

Bien-être, des livres qui vous font du bien

Psychologie, santé, sexualité, vie familiale, diététique... : la collection Bien-être apporte des réponses pratiques et positives à chacun.

Psychologie

Thomas Armstrong • Sept façons d'être plus intelligent -n° 7105

Jean-Luc Aubert et Christiane Doubovy • Maman, j'ai peur – Mère anxieuse, enfant anxieux ? - n° 7182

Anne Bacus et Christian Romain • Libérez votre créativité ! - n° 7124

Anne Bacus-Lindroth • Murmures sur l'essentiel – Conseils de vie d'une mère à ses enfants - n° 7225

Simone Barbaras • La rupture pour vivre - n° 7185

Martine Barbault et Bernard Duboy • Choisir son prénom, choisir son destin - n° 7129

Doctor Barefoot • Le guerrier urbain - n° 7359

Deirdre Boyd • Les dépendances - n° 7196

Nathaniel Branden • Les six clés de la confiance en soi - n° 7091

Sue Breton • La dépression - n° 7223

Jack Canfield et Mark Victor Hansen •
Bouillon de poulet pour l'âme - n° 7155
Bouillon de poulet pour l'âme 2 - n° 7241
Bouillon de poulet pour l'âme de la femme *(avec J.R. Hawthorne et M. Shimoff)* - n° 7251
Bouillon de poulet pour l'âme au travail - *(avec M. Rogerson, M. Rutte et T. Clauss)* - n° 7259
Kristine Carlson • Ne vous noyez pas dans un verre d'eau... à l'usage des femmes - n° 7487

Richard Carlson •
Ne vous noyez pas dans un verre d'eau - n° 7183
Ne vous noyez pas dans un verre d'eau... en famille ! - n° 7219
Ne vous noyez pas dans un verre d'eau... en amour ! *(avec Kristine Carlson)* - n° 7243
Ne vous noyez pas dans un verre d'eau... au travail - n° 7264
Ne vous noyez pas dans un verre d'eau... à l'usage des hommes - n° 7718
Ne vous noyez pas dans un verre d'eau... à l'usage des couples - n° 7884

Steven Carter et Julia Sokol • Ces hommes qui ont peur d'aimer - n° 7064

Chérie Carter-Scott •
Dix règles pour réussir sa vie - n° 7211
Si l'amour est un jeu, en voici les règles - n° 6844

Santé

Jocelyne de Rotrou •
La mémoire en pleine forme - n° 7087
La tête en pleine forme - n° 7199

Josette Rousselet-Blanc • La beauté à l'ancienne - n° 7670

Josette et Vincent Rousselet-Blanc • Les remèdes de grands-mères - n° 7272

Dr Hubert Sacksick • Les hormones - n° 7205

Jon Sandifer • L'acupression - n° 7204

Béatrice Sauvageot et Jean Métellus • Vive la dyslexie ! - n° 7073

Debbie Shapiro • L'intelligence du corps - n° 7208

Sidra Shaukat • La beauté au naturel - n° 7222

Rochelle Simmons • Le stress - n° 7190

André Van Lysebeth • J'apprends le yoga - n° 7197

Dr Andrew Weil •
Huit semaines pour retrouver une bonne santé - n° 7193
Le corps médecin - n° 7210
Le guide essentiel de la diététique et de la santé - n° 7269

Diététique

Marie Binet et Roseline Jadfard • Trois assiettes et un bébé - n° 7113

Edwige Antier • Les recettes d'Edwige - n° 7888

Julie Bocage • Mince toute l'année - n° 7488

Dr Alain Bondil et Marion Kaplan •
Votre alimentation - n° 7010
L'âge d'or de votre corps - n° 7108

André Burckel • Les bienfaits du régime crétois - n° 7247

Dr Laurent Chevallier •
Votre assiette santé - n° 7632
L'alimentation des p'tits loups - n° 7747

Dr Jean-Michel Cohen •
Savoir maigrir - n° 7266
Au bonheur de maigrir - n° 6893
Bien manger en famille (avec Myriam Cohen) - n° 7929

Sonia Dubois •
Maigrissons ensemble ! - n° 7120
Restons minces ensemble ! - n° 7187
À chacun son régime ! - n° 7512

Dr Pierre Dukan • Je ne sais pas maigrir - n° 7246

Suzi Grant • 48 heures - n° 7559

Maggie Greenwood-Robinson • Le régime bikini - n° 7560

Bienêtre

8105

Composition Nord Compo
Achevé d'imprimer en France (Manchecourt)
par Maury-Eurolivres
le 16 août 2006.
Dépôt légal août 2006. ISBN 2-290-3501-9

Éditions J'ai lu
87, quai Panhard-et-Levassor, 75013 Paris
Diffusion France et étranger : Flammarion